DU MONDE ENTIER

MIRCEA ELIADE

Le vieil homme et l'officier

TRADUIT DU ROUMAIN
PAR ALAIN GUILLERMOU

GALLIMARD

Titre original :

PE STRADA MÂNTULEASA...

*Tous droits de traduction, de reproduction et d'adaptation
réservés pour tous les pays.*

© *Mircea Eliade, 1968.*
© *Éditions Gallimard, 1977, pour la traduction française.*

I

Depuis quelques minutes le vieil homme allait et venait devant la façade de la maison, n'osant entrer. C'était une bâtisse à plusieurs étages, sobre, presque sévère, comme on en construisait vers le début du siècle. Sur le trottoir, les marronniers maintenaient un peu d'ombre mais la chaussée était torride. Le soleil la frappait de plein fouet avec toute la puissance qu'il a dans un après-midi d'été. L'homme prit son mouchoir et le mit autour de son cou. Il était assez grand et très maigre. Son visage long, osseux, semblait comme effacé, et ses yeux gris n'avaient pas d'expression. Sa moustache, mal soignée, était presque blanche, un peu jaunie par le tabac. Il portait un vieux chapeau de paille. Ses vêtements d'été délavés, trop larges, paraissaient avoir appartenu à quelqu'un d'autre.

Il vit l'officier s'approcher et le salua de loin en ôtant son chapeau.

— Pourriez-vous me donner l'heure ? demanda-t-il sur un ton d'extrême politesse.

— Deux heures, répondit l'autre sans regarder sa montre.

— Je vous remercie beaucoup, fit le vieil homme en hohant la tête à plusieurs reprises.

Puis il se dirigea, d'un pas décidé, vers la porte d'entrée. Quand il mit la main sur la poignée il entendit l'officier lui dire, derrière son dos :

— Vous devriez d'abord appuyer sur le bouton.

Le vieillard se retourna, effarouché.

— Moi aussi j'habite ici, dit l'officier en tendant la main et en appuyant lui-même sur un bouton. Qui cherchez-vous ? ajouta-t-il sans le regarder.

— M. le major de la M.A.I., le major Borza.

— Je ne sais pas s'il est chez lui. D'habitude, à cette heure-ci, il est à son bureau.

Il parlait d'une voix neutre, en regardant droit devant lui. La porte s'ouvrit. Il fit entrer le vieil homme, toujours sans lui adresser le moindre regard. De la pénombre du hall surgit un portier qu'il salua.

— Monsieur cherche le camarade major, dit l'officier en se dirigeant vers l'ascenseur.

— Je ne sais pas s'il est à la maison, répondit le portier. Vous feriez mieux de passer au commissariat.

— J'ai rendez-vous ici avec lui, dit le vieillard. Je viens de la part de sa famille. A vrai dire, moi, aux yeux de M. le major, je représente toute une partie de sa famille, ajouta-t-il, l'air entendu. J'en suis la partie la plus précieuse : l'enfance...

Le portier le regardait, perplexe, en hochant la tête.

— Essayez toujours, dit-il enfin. Il habite au quatrième. En admettant qu'il y soit, ajouta-t-il rapidement.

Le vieillard remit son léger chapeau de paille et se dirigea vers l'escalier.

— Attendez un moment et vous pourrez prendre l'ascenseur, lui lança le portier.

Le vieillard se retourna et s'inclina à plusieurs reprises avec respect.

— Je vous remercie beaucoup, dit-il. Mais je ne supporte pas très bien les ascenseurs. Je préfère monter par l'escalier. Surtout quand j'entre pour la première fois dans une maison. J'aime alors monter à pied, ajouta-t-il, l'air triste.

Il se mit à monter avec régularité, sans hâte, s'appuyant à la rampe avec sa main droite et tenant son chapeau sous son bras gauche. Quand il parvint au premier étage il s'arrêta et s'adossa au mur en s'éventant avec son chapeau. Il entendit des voix d'enfants, puis une porte s'ouvrit brusquement. Une femme entre deux âges sortit à la hâte, une bouteille de bière vide à la main. Elle souriait mais quand elle aperçut l'homme son visage se figea d'un coup.

— Qui cherchez-vous ? demanda-t-elle.

— Je soufflais un peu, dit le vieillard en s'inclinant très poliment. Je monte au quatrième étage, chez M. le major Borza, de la M.A.I. Le connaissez-vous ?

— Demandez à l'entrée, répondit la femme d'un ton rapide en faisant tourner, l'air absent, la bouteille de bière entre ses mains. Il y a un portier, en bas. Vous pourrez vous renseigner...

Puis elle s'engagea dans l'escalier mais se ravisa et revint sur ses pas. Elle sonna chez elle à plusieurs reprises, à coups brefs, nerveusement, et les voix des enfants retentirent à nouveau. Un instant plus tard, la porte s'ouvrit et un personnage que le vieil homme n'eut pas le temps d'apercevoir voulut sans doute sortir sur le palier mais la femme le repoussa et disparut avec lui dans l'appartement. Le vieillard sourit, l'air gêné, et, remettant son chapeau sous son bras, il continua de monter. Au deuxième étage, l'officier l'attendait.

— Vous dites que vous cherchez le major, murmura-t-il. Pourquoi n'avez-vous pas pris l'ascenseur ?

— Je ne le supporte pas, répondit le vieillard avec timidité. Surtout, en été, quand il fait chaud, la tête me tourne. Je ne le supporte pas.

— Mais que faisiez-vous donc au premier étage ? continua l'officier, toujours à voix basse. Connaissez-vous quelqu'un au premier ?

— Non. Je ne connais personne. Je m'étais arrêté pour souffler un peu. Juste à ce moment-là une dame est sortie et m'a demandé...

— Que vous a-t-elle demandé ? fit l'officier en l'interrompant.

— Elle ne m'a rien demandé à vrai dire, elle a voulu savoir qui je cherchais. Je lui ai répondu que...

— J'ai compris, coupa l'officier.

Puis, après avoir jeté un coup d'œil vers l'étage du dessus, il se rapprocha du vieil homme.

— Connaissez-vous bien le major ? lui demanda-t-il tout bas.

— Je le connais depuis toujours. Je l'ai connu quand j'étais grand comme cela, et le vieillard fit, en souriant, le geste de baisser la main. Je peux dire que je fais partie de sa famille, peut-être même suis-je plus que de sa famille...

— Ah ! répondit l'officier. Vous le connaissez donc bien. Voilà pourquoi vous avez eu son adresse. Il vient à peine de s'installer ici.

D'ailleurs, moi aussi, je le connais bien. Nous avons travaillé ensemble. C'est un homme solide, un homme sûr.

On entendit le bruit de l'ascenseur et l'officier parut un instant gêné puis, sans rien ajouter, sans aucun geste d'adieu, il ouvrit la porte de l'appartement d'en face et entra. Le vieillard s'adossa au mur et recommença de s'éventer avec son chapeau. L'ascenseur montait lentement, et le vieillard aperçut dans la cabine un jeune homme au visage blafard, aux grands yeux violets qui se fixaient sur lui, pénétrants. Il attendit encore un peu puis se décida à reprendre sa marche vers le haut. L'ascenseur s'arrêta au troisième étage. L'homme qu'il avait aperçu l'attendait sur le palier, gardant ouverte la porte de l'ascenseur.

— Entrez, lui dit-il, moi, j'habite ici.

— Je vous remercie beaucoup, fit le vieil homme. Si je n'ai pas pris l'ascenseur c'est parce que je ne le supporte pas. Je préfère monter à pied. Lentement, comme sur une montagne, ajouta-t-il en souriant.

— Ce sera pénible. Il y a encore trois étages, dit le jeune homme.

Son visage était d'une pâleur extraordinaire.

— Heureusement, reprit le vieillard, en s'éventant avec son chapeau, je peux dire que je suis arrivé.

— Ah ! vous allez chez le camarade ingénieur ? fit le jeune homme en désignant de la main la porte d'en face. Je ne crois pas que vous le trouverez. Vous êtes-vous renseigné auprès du portier ? demanda-t-il très vite en baissant la voix.

Le vieillard hocha la tête à plusieurs reprises, en souriant, l'air embarrassé.

— Je me suis mal exprimé... J'aurais dû dire : je suis presque arrivé. C'est au quatrième que je vais.

Le jeune homme cligna vivement des yeux, prit son mouchoir et se mit à s'essuyer nerveusement les mains.

— Chez le camarade major ? Mais sera-t-il chez lui ? D'habitude il mange au bureau. Vous le connaissez bien ? ajouta-t-il en regardant le vieil homme droit dans les yeux. Je ne vous ai jamais vu ici...

— Il vient d'emménager, fit le vieillard. Je le connais depuis son plus jeune âge...

Le jeune homme resta un moment perplexe sans cesser de triturer son mouchoir. Puis il appuya sur le bouton de l'ascenseur et le renvoya.

— Vous connaissez aussi sa famille ? demanda-t-il tout bas, après avoir lancé plusieurs coups d'œil vers l'étage supérieur.

— Je peux dire que je fais partie de sa famille...

— Vous venez de la province, coupa le

jeune homme. Sa famille est en province. Je connais son frère. Il travaille à Parafina. C'est un être exceptionnel, un vieux lutteur. Je le connais très bien.

Il parut vouloir ajouter quelque chose car il s'approcha du vieillard, un sourire mystérieux sur les lèvres, mais il entendit des pas dans l'escalier, gagna vivement la porte, tourna le dos et se mit à chercher nerveusement sa clef.

— Je suis heureux d'avoir fait votre connaissance, dit le vieillard en s'inclinant, et il reprit sa montée, la main sur la rampe.

Un peu plus haut, il croisa un couple qu'il salua. La femme avait des cheveux courts, était vêtue d'une sorte d'uniforme et portait un insigne. L'homme, beaucoup plus jeune qu'elle, avait l'air gêné et semblait éviter de la regarder. Quelques marches plus bas tous les deux s'arrêtèrent, tournèrent la tête pour observer le vieillard. Lui s'arrêta devant la porte, prit son mouchoir, s'essuya le visage et passa le dos de sa main sur les revers de son veston. On eût dit qu'il allait sonner mais il se ravisa et redescendit l'escalier d'un bond étonnamment agile. Il s'arrêta juste au-dessus du couple qui se tenait, surpris, le long du mur et s'inclina très poliment.

— Je vous prie de m'excuser, fit-il en s'adressant à la femme, mais pourriez-vous me dire l'heure qu'il est ?

— Deux heures, deux heures cinq, répondit-elle.

— Je vous remercie. Pardonnez-moi, j'ai rendez-vous à deux heures.

Puis il remonta rapidement les marches et sonna avec insistance. Une femme lui ouvrit, jeune, assez forte et maladroitement fardée.

— Je vous baise les mains, madame, fit le vieillard en s'inclinant. J'espère que je n'arrive ni trop tôt, ni trop tard. J'ai pensé que deux heures, deux heures cinq, c'était juste l'heure qui convenait.

— Il est à table, dit la femme en souriant.

Il ne vous attendait qu'à deux heures et quart, deux heures et demie...

— Dans ce cas je vais attendre, je vais attendre, s'excusa le vieillard en faisant mine de se retirer.

— Non, non, entrez. Il fait plus frais ici. C'est un appartement de bourgeois, ajouta-t-elle en souriant.

— Je vois, je vois, fit le vieillard. Vous venez à peine d'emménager.

— L'autre, avenue de Rahova, était trop loin du bureau. Et puis ce logement-là ne convenait pas pour un major de la M.A.I., pour un homme qui a toujours des missions importantes. Il était trop petit. Il n'y avait là-bas ni piano, ni radio.

15

— Je vois, je vois, répéta le vieil homme en prenant tout d'un coup un air enjoué. Le major, je le connais depuis toujours, je l'ai connu quand il était grand comme ça ! ajouta-t-il en abaissant la main très bas, presque au niveau du tapis.

La femme se mit à rire.

— Venez au salon, dit-elle en le menant dans une pièce spacieuse meublée sobrement mais avec élégance. Je vais lui dire que vous êtes là.

Le vieillard, continuant de sourire, s'assit sur le canapé et se mit à caresser ses genoux de ses deux mains, l'air heureux. Au bout de quelques instants, la femme réapparut et lui fit signe de se lever.

— Il dit que vous alliez dans son bureau. Il arrive à l'instant.

Elle le conduisit dans la pièce voisine et lui montra un grand fauteuil de cuir, devant la bibliothèque. Le vieillard la remercia encore et s'assit, puis se mit à caresser de nouveau ses genoux. De temps en temps il tournait la tête vers les rayonnages et lisait les titres des livres, mais il entendit la porte s'ouvrir et il se leva, tout ému. Du seuil un homme le regardait, noiraud, robuste, presque gras, les joues cramoisies, les cheveux noirs, les sourcils épais et rapprochés. Ses yeux tout petits, au regard d'acier, se cachaient sous des paupières gonflées, violacées, tachetées par endroits. Il était en bras de chemise, les manches retroussées, et portait des bretelles. Il souriait, sa serviette de table encore glissée dans l'ouverture de sa chemise, mais, quand il aperçut le vieil homme, son visage se rembrunit d'un coup.

— Que voulez-vous ? demanda-t-il d'une voix dure, rauque. Par où êtes-vous entré ?

— Vous ne me reconnaissez pas ? fit le vieillard en esquissant un sourire. Moi je me souviens de vous, du temps où vous étiez grand comme trois pommes ! — et il tendit son bras devant lui en baissant la main le plus possible vers le tapis.

— Comment donc êtes-vous entré ? demanda le major en prenant un coin de sa serviette et en s'essuyant la bouche et les joues. Comment le portier a-t-il pu vous laisser passer ?

— Je me suis dit que vers deux heures, deux heures et quart, je vous trouverais sûrement chez vous, reprit le vieillard en continuant de sourire.

— Mais qui êtes-vous ?

— Vous ne me reconnaissez donc pas ? fit le vieil homme en hochant la tête avec mélancolie. Evidemment, plus de trente ans ont passé depuis cette époque-là, mais moi je vous garde toujours présent dans mon souvenir. Quand j'ai appris que vous aviez déménagé pour vous installer ici, je me suis dit : pourquoi ne pas lui rendre visite ? Pourquoi ne pas aller voir s'il me reconnaîtra ou non ?

— Mais qui êtes-vous, monsieur ? s'écria brutalement le major en faisant un pas vers lui, l'air menaçant.

— Rue Mântuleasa, commença le vieillard en hochant la tête, n'y avait-il pas une école, rue Mântuleasa, avec des marronniers dans la cour et, tout au fond, un jardin rempli d'abricotiers et de griottiers ? Il n'est pas possible que vous ayez oublié... C'était ici, à deux pas de chez vous, ajouta-t-il en tournant la tête vers la fenêtre. Il me semble que je vous vois encore. Vous portiez un costume marin et vous transpiriez. C'est terrible comme vous transpiriez...

Le major sortit brusquement de la pièce en claquant la porte derrière lui.

— Aneta ! cria-t-il en passant dans le salon et en le traversant à grandes enjambées. Aneta !

La jeune femme apparut immédiatement.

— C'est toi qui as introduit cet individu dans mon bureau ? lui demanda-t-il en baissant la voix. Ne t'ai-je pas prié de n'accueillir personne, d'envoyer tout le monde au ministère ? Ne t'ai-je pas dit que j'attends un inspecteur qui doit venir à deux heures et quart, deux heures et demie ?

— Mais je croyais que c'était lui puisque le portier l'a laissé passer ! Et puis j'ai cru comprendre, à ce qu'il m'a dit, qu'il te connaissait bien, qu'il était un inspecteur lui aussi.

Le major traversa de nouveau à grands pas le salon et revint dans le bureau.

— Tout cela signifie que vous vous êtes introduit par fraude, dit-il en fermant un peu plus ses yeux. Vous avez déclaré à ma femme que vous êtes un inspecteur.

— Je ne l'ai pas déclaré du tout, répondit le vieillard avec dignité. Et pourtant j'aurais pu le faire puisque je suis inspecteur. Inspecteur à la retraite, il est vrai, mais on peut dire que je le suis toujours...

— Qui êtes-vous donc, monsieur ? s'écria de nouveau le major en arrachant sa serviette de son cou et en se mettant à la pétrir comme par jeu dans ses mains, à la triturer, à l'étirer comme si c'était une courroie.

— Vous ne vous souvenez toujours pas ? La rue Mântuleasa ? Quand vous étiez à l'école primaire de la rue Mântuleasa ? Aux récréations vous grimpiez dans les cerisiers et, une fois, vous êtes tombé sur la tête. Le directeur vous a pris dans ses bras, vous a mené au secrétariat et vous a pansé. Le lendemain c'était la fête nationale du 10 mai. Vous ne vous rappelez pas comme vous avez été fier de venir à l'école, la tête entourée de bandages ? Le directeur vous a demandé : « Comment va ta tête mon petit Borza ? » Vous avez répondu : « J'ai peur pour les poésies, monsieur le directeur. » Il faut dire que vous n'aimiez pas beaucoup les leçons de mémoire, observa le vieillard avec un sourire. « Je crains de ne plus pouvoir les apprendre par cœur ! » Eh bien, le directeur, c'était moi. Moi, l'instituteur Farâma, Zaharia Farâma, directeur pendant quinze ans de l'école Mântuleasa, ensuite inspecteur primaire de deuxième classe jusqu'au moment où j'ai pris ma retraite... Vous ne vous souvenez toujours pas ?

Le major l'avait écouté attentivement, de plus en plus rembruni.

— Vous vous moquez de moi, commença-t-il en faisant siffler ses mots entre ses dents. Si vous n'étiez pas un vieillard, je vous arrêterais tout de suite. Vous vous êtes introduit dans ma maison en disant que vous êtes inspecteur...

— Je n'ai pas dit cela !

— Ne m'interrompez pas quand je parle ! fit le major en s'approchant de lui, l'air menaçant. Vous vous êtes introduit par fraude dans ma maison. Il faut que vous ayez eu un but. Alors dites-moi vite ce but, avant que je me fâche ! Répondez : pourquoi êtes-vous venu ? Dans quelle intention ?

Le vieillard passa sur son visage une main qui tremblait et il soupira.

— Je vous en prie, ne vous fâchez pas ! commença-t-il d'une voix affaiblie. Je n'ai pas voulu vous fâcher. Il y a peut-être au milieu de tout cela une confusion, et dans ce cas je vous fais mes excuses. Vous n'êtes donc pas monsieur le major de la M.A.I. Vasile Ion Borza ?

— Si ! Je le suis. Non pas " monsieur " mais le camarade Borza, Ion Vasile. Que lui voulez-vous ? En quoi vous intéresse-t-il, le camarade Borza ?

— Excusez-moi, mais vous avez été certainement mon élève, à mon école, rue Mântu-leasa. Je peux vous dire pendant quelles années. C'était entre 1912 et 1915. Vous voyez ! Plus de trente ans se sont écoulés et je me rappelle nettement ces dates. Dans chaque classe je m'attachais à quelques garçons, pas toujours les plus brillants, ajouta-t-il en souriant, mais à des garçons qui, je le sentais, avaient quelque chose de particulier. Je les suivais autant que je pouvais, quand ils allaient ensuite au lycée, à l'université... Il est exact que vous, je vous avais perdu de vue. Mais c'est parce que la guerre est arrivée, en 1916, et cela explique beaucoup de choses. J'avais entendu dire que vous étiez parti en province...

Le major l'avait écouté avec attention, non

sans tourner de temps en temps la tête vers la pièce voisine.

— Ecoutez-moi, monsieur le directeur, commença-t-il sur un ton un peu moins agressif mais tout aussi cassant. Je ne suis pas celui que vous croyez. Pas de lycée pour moi, pas d'université. Moi je sors du peuple. J'ai été persécuté dans ma vie. Je n'ai eu ni le temps ni l'argent ni le privilège de fréquenter les grandes écoles...

— Je vous parlais de l'école primaire de Mântuleasa.

— Je vous ai dit de ne pas m'interrompre quand je parle, fit le major en le regardant profondément dans les yeux. Toutes ces histoires de titres et de grandes écoles, nous connaissons la chanson !... Mais cette époque-là est révolue avec ses privilèges, ses diplômes et ses balivernes ! Nous avons enterré l'ancien régime, un régime d'exploiteurs, ajouta-t-il en tournant la tête vers la pièce voisine et en élevant soudain la voix. Maintenant c'est le peuple travailleur qui a la parole ! Mettez-vous bien cela dans le crâne pendant qu'il en est temps encore. Vous m'avez compris ?

— J'ai compris, fit le vieillard en inclinant la tête. Je vous prie de me pardonner. Il y a eu confusion. Une confusion bien involontaire de ma part...

Le major le regarda longuement puis sourit.

— J'espère bien ! Une confusion ! Autrement vous l'auriez payé cher ! Et maintenant remerciez-moi, si je ne me suis pas mis en colère — et fichez-moi le camp !

Il lui montra la porte d'un geste bref.

— Je vous salue bien, dit Farâma, je vous salue respectueusement. Je vous demande encore une fois de me pardonner...

Il sortit à reculons, traversa en hâte, effrayé, le salon. Borza se mit à rire, paraissant tout à coup d'excellente humeur.

— Aneta ! cria-t-il, fais-nous vite du café !

Puis il s'approcha de l'autre porte et l'ouvrit.

— Que penses-tu, Dumitrescu, de cette diablerie-là ?

Un homme encore jeune apparut sur le seuil de la salle à manger, sa chevelure châtain était toute lissée sur la tête, il portait une moustache coupée court. Sa bouche était petite et ses lèvres étonnamment fines, si fines qu'on eût dit qu'il n'en avait pas. Les paupières blafardes tombaient sur ses yeux jaunâtres. Son visage était couleur de terre comme celui d'un malade.

— C'est un peu suspect, fit Dumitrescu en souriant d'un sourire forcé. Cela me paraît un peu suspect...

Borza changea brusquement d'expression.

— C'est bien ce qui me semble, dit-il. Il

prétend avoir fait une confusion. Mais peut-on le croire ?

— Cette histoire de confusion me paraît cousue de fil blanc. Qu'il y ait deux Borza Ion Vasile, à peu près du même âge et dans la même ville, je n'arrive pas à le croire. Ce bonhomme sait quelque chose. Il a une idée derrière la tête. Regardez ! Il connaissait votre adresse et pourtant vous venez à peine d'emménager.

— Je l'arrête ! éclata Borza. Je l'arrête tout de suite !

— Attendez, n'allez pas trop vite, fit Dumitrescu en se dirigeant vers la fenêtre. S'il suit son idée, il vaut mieux que nous commencions par le suivre, lui ! — Il écarta le rideau et regarda dans la rue. — Il n'est pas encore descendu, dit-il. Il me paraît très suspect, ajouta-t-il en continuant d'explorer la rue. Peut-être même qu'au fond, la question est encore plus compliquée. Peut-être ne vous a-t-il pas du tout confondu avec un autre, et s'il a une idée derrière la tête, c'est justement parce qu'il sait qui vous êtes. Vous avez dû être son élève, rue Mântuleasa.

— Soyez sérieux, mon cher ! s'écria Borza en colère. Tout le monde sait que je suis sorti du peuple et que je ne suis jamais allé à l'école !

— Borza, fit Dumitrescu sans se retourner,

il n'y aurait aucune honte pour vous à avoir fait vos études primaires rue Mântuleasa. L'école primaire, des enfants pauvres et de familles respectables pouvaient y aller, même sous l'ancien régime...

— Mais puisque je vous dis que je n'ai pas été à l'école de la rue Mântuleasa ! cria Borza. Je ne sais même pas où elle est !

— Elle est ici, pas loin de chez vous, fit Dumitrescu le front collé à la fenêtre.

— Peut-être, mais je vous dis et je vous répète que je ne la connais pas. Moi, j'ai passé mon enfance dans le quartier des Tilleuls. Mon père était charretier... Mais qu'est-ce qui se passe ? Pourquoi ce café ne vient-il pas ? dit-il d'une voix sifflante, les dents serrées. — Il fit mine de sortir de la pièce. — L'inspecteur ne va pas tarder et j'aurais voulu que nous buvions d'abord tranquillement notre café.

— Le bonhomme est dans la rue, fit Dumitrescu en ouvrant la fenêtre et en penchant la tête. Il faudrait téléphoner en bas pour qu'on le prenne en filature... Pas de hâte inutile, ajouta-t-il en se tournant vers Borza et en le regardant longuement. Ce vieux-là sait quelque chose. Il veut aboutir à quelque chose. Faites bien attention !...

II

A l'aube du jour suivant, Farâma fut réveillé par un agent de la Sécurité.

— Venez ! C'est pour des renseignements, lui dit-il. Ne prenez rien avec vous. Vous ne resterez pas longtemps.

Dans le jardinet de la maison, il y avait quelques agents, et une automobile attendait le long du trottoir. Ils l'y firent monter sans dire un mot. Farâma se mit tout d'un coup à trembler.

— Un beau jour d'été, dit-il un peu plus tard et il essaya de sourire.

La voiture s'arrêta devant l'immeuble de la Sécurité. On le conduisit, par de longs corridors, jusqu'à la cabine d'un ascenseur vaste et sale qui servait à transporter des matériaux vers les étages supérieurs où l'on faisait des travaux. Farâma ne perçut pas à quel étage on l'arrêta. Ils franchirent tous une porte qui s'ouvrait, en face sur le palier, et s'avancèrent dans un couloir sombre éclairé par de faibles ampoules suspendues de place en place au plafond. Ils descendirent ensuite quelques marches et s'engagèrent dans un autre couloir qui ne semblait pas appartenir au même immeuble. Il était éclairé par des fenêtres larges et propres. Le parquet était neuf et luisant et les murs fraîchement peints en blanc. Devant une des nombreuses portes, un des agents lui fit signe de s'arrêter. Lui-même entra tout seul dans la pièce. Il revint au bout d'un certain temps, accompagné d'un fonctionnaire aux épaules voûtées, qui portait un paquet de dossiers sous le bras. Ils repartirent tous ensemble le long du corridor qui semblait dessiner un long arc de cercle, s'arrêtèrent devant un autre ascenseur et descendirent. Farâma aurait voulu compter les étages, mais comme il était encadré par deux agents et qu'il avait devant lui le fonctionnaire porteur de dossiers, il ne pouvait se rendre compte de rien. Quand ils sortirent ils se heurtèrent à tout un groupe de gens qui attendaient pour prendre place dans l'ascenseur. Du coin de l'œil Farâma aperçut quelques agents de la Sécurité, en uniforme, mêlés à des fonctionnaires en civil qui portaient des dossiers sous leur bras. Cette fois ils ne firent pas un long trajet. Le fonctionnaire qui les accompagnait s'arrêta devant la première porte, à droite, et entra sans frapper. Peu de temps après, un jeune homme à lunettes, qui avait l'air d'un intellectuel, sortit de la pièce et fit signe à l'un des agents de le suivre. Puis la porte s'ouvrit à nouveau et le fonctionnaire au dossier réapparut. Il posa sur le vieil homme un regard pénétrant et lui demanda :

— Vous dites, n'est-ce pas, que vous êtes Farâma Zaharia, ancien directeur de l'école primaire, 17 rue Mântuleasa ?

— Oui, répondit solennellement Farâma. J'ai été aussi inspecteur primaire de deuxième classe, ajouta-t-il en essayant d'affermir sa voix.

Le fonctionnaire le regarda de nouveau, la mine légèrement renfrognée, et s'écria, comme s'il parlait plutôt pour lui-même :

— Curieux !...

Puis il disparut. Il ne revint que longtemps après. Farâma commençait d'avoir mal aux genoux et se tenait tantôt sur une jambe, tantôt sur l'autre.

— S'il vous plaît, entrez ! dit le fonctionnaire.

La pièce était une sorte de salle d'attente, avec quelques bancs collés aux murs, une seule fenêtre et plusieurs portes. Le fonctionnaire se dirigea vers la porte qui était le plus près de la fenêtre et dit au vieillard sans se retourner :

— Suivez-moi !

Ils entrèrent dans un bureau garni d'une seule table mais sur laquelle on voyait plusieurs appareils de téléphone. Installé dans un fauteuil, le haut du corps renversé en arrière, Dumitrescu attendait, jouant avec un crayon qu'il tenait à la main.

— Depuis quand connaissez-vous le camarade Borza ?

— Il était grand comme cela, répondit Farâma en souriant, le bras tendu. Il a été mon élève, dans mon école.

— Mais comment avez-vous su que c'était lui ?

Farâma se mit à rire, en hochant la tête, une expression de mélancolie sur le visage.

— Voyez-vous, c'est à partir d'ici que les choses s'embrouillent. Jusqu'à hier après-midi je pouvais jurer que c'était bien lui, M. le major Vasile Borza. Et puis je suis allé le voir et voilà qu'il me déclare qu'il ne se souvient plus...

— Mais qu'alliez-vous faire chez le camarade major Borza ? Comment avez-vous trouvé son adresse ?

— Voici exactement ce qui s'est passé, commença Farâma, sur le ton d'un homme qui se prépare à un long récit. Il y a de cela quelques semaines, en juin, je me promenais sur le boulevard. Il faut dire que j'aime beaucoup me promener là-bas, près de l'école. Je pars d'habitude de la statue Pache Protopopescu, et je rentre par la rue Mântuleasa. Donc, je me promène et puis je m'arrête pour me reposer sur un banc. Or, voilà que j'aperçois un camion qui s'arrête en face du numéro 128, juste devant moi. Il en descend quelques jeunes gens, des miliciens, qui se mettent à décharger ce camion. Ensuite quelqu'un est sorti de la maison et leur a crié de tout réembarquer. Il leur a dit : « Au quatrième étage, c'est le camarade major Vasile Borza qui s'installe ! » Tout à coup je me suis souvenu de lui, Borza, Vasile, quand il était petit. Et je me suis rappelé son aventure avec le fils du rabbin...

— Quelle aventure ? coupa Dumitrescu.

— Ah ! C'est toute une histoire ! Une histoire longue et bizarre... Je peux même dire : mystérieuse. Les journaux en ont parlé, à cette époque, mais je crois que personne n'y a rien compris. Je peux dire que c'est resté un mystère.

— Quelle espèce d'aventure ? Pourquoi pensez-vous que c'est resté un mystère ?

— C'est resté un mystère parce que personne n'y a jamais vu clair, commença Farâma, revigoré tout d'un coup. Pour bien comprendre cette histoire, vous devez savoir que Borza ne s'est pas trouvé dès le début là-bas, dans

30

la cave, avec le fils du rabbin, Darvari et les autres. Darvari Patru, celui-là, je peux bien le dire, il était au cœur de tout. Il avait un esprit très inventif. Je l'ai longtemps suivi dans son existence, jusqu'au moment où il a disparu, dans son avion, entre l'île des Serpents et Odessa, disparu corps et biens. Ce Darvari, ce garçon dont je vous parle, avait découvert qu'un de ses amis, Aldea, qui fréquentait une autre école, vers la Calea Moshilor, s'était lié, un an plus tôt, à Tekirghiol, avec le fils d'un Tatar qui gagnait sa vie en allant de villa en villa et en exterminant les mouches. Oui, je peux dire que c'est le mot exact : il les exterminait. Si je ne l'avais pas vu je ne l'aurais pas cru. Je dois ajouter que je suis allé moi-même à Tekirghiol l'année suivante et que j'ai fait sa connaissance. Ce fils de Tatar était extraordinaire. Je crois le voir encore ! Un beau garçon, la tête rasée, ardent, les yeux comme deux perles d'acier. Il me semble que je l'entends : " Vous avez beaucoup de mouches dans votre maison ? " Il parlait le roumain à la perfection parce qu'il avait fait ses études à Constantza mais avec tout de même l'accent tatar. " Vous avez des mouches à la maison ? " demandait-il. Il frappait d'abord à la porte, pour attirer l'attention des gens, puis il demandait, du seuil du corridor, sans entrer : " Avez-vous beaucoup de mouches ? "

Il posait sa question sur un mode un petit peu ironique comme s'il voulait en acheter d'occasion, mais pour rien du tout, naturellement. Il faut que je vous dise ce qui m'est arrivé, à moi. J'avais entendu parler de lui mais je ne l'avais pas encore vu. Je l'attendais. La villa où j'avais loué une chambre cet été-là se trouvait en haut sur la colline. Elle s'appelait la Villa Cornelia. C'était la dernière du village. Voilà pourquoi le jeune Tatar est arrivé chez moi après être passé chez tous les autres. Mais il est venu tout de même. C'était son métier : il gagnait sa vie en exterminant les mouches. Il est venu un après-midi, vers deux heures. Je dormais. Je l'ai entendu frapper à la porte et poser sa question : " Vous avez des mouches ? " J'ai sauté de mon lit. Je désirais vivement faire sa connaissance. J'avais des mouches, naturellement, comme tout le monde à Tekirghiol, mais ce qui m'intéressait le plus c'était de le connaître. " J'en ai pas mal, lui répondis-je. Que voulez-vous en faire ? — Je les chasse et il n'en vient plus une seule pendant une semaine. S'il en vient une vous ne me donnez pas un sou. — Combien voulez-vous ? — Un leu. La moitié maintenant et l'autre dans une semaine. Si vous me montrez, alors, une seule mouche, je vous rends l'acompte. — C'est entendu, lui dis-je. Je vais vous regarder faire. "

Farâma s'interrompit :

— S'il vous plaît, fit-il sur un autre ton, ne vous fâchez pas, j'ai quelque chose à vous demander.

— Dites toujours ! fit Dumitrescu.

— Je vous prierais de me laisser me reposer un instant sur une chaise. Je tombe de fatigue. Je souffre d'une espèce de rhumatisme.

— Asseyez-vous ! lui répondit Dumitrescu en lui montrant un siège d'un geste de la tête.

Farâma s'inclina et s'assit en poussant un profond soupir.

— Je vous remercie beaucoup, dit-il. J'ai vu dès le début que vous aviez du cœur. Vous ressemblez à l'un de mes bons amis qui s'appelle Dorobantsu.

— Laissez cela, fit l'autre. Je vous ai demandé ce que vous alliez faire chez le camarade major Borza. Vous tournez autour du pot et vous ne m'avez pas encore répondu.

— Vous allez voir. C'est justement ce que je voulais vous dire. J'étais là, sur mon banc, en face du numéro 128 et je me suis souvenu de lui, quand il était mon élève, rue Mântuleasa. J'ai pensé : je vais lui faire une visite. Il a bien réussi. Il est major. Nous bavarderons, nous parlerons du temps où il était en classe. Je lui demanderai s'il a des nouvelles de Lixandru. Il faut vous dire qu'en quatrième il s'était lié d'amitié avec Lixandru. C'étaient

33

comme deux frères. Lixandru, lui aussi, était un garçon curieux, un rêveur, une sorte de poète dans son genre. Il pouvait avoir treize ou quatorze ans. Oui, treize ou quatorze ans en quatrième, parce qu'il avait commencé assez tard ses études. Il avait été malade longtemps. Mais quand il est devenu mon élève il s'est montré brillant. Il aurait pu faire deux, que dis-je ? trois classes en un an. C'est d'ailleurs ce qu'il a fait, plus tard, au lycée. Je voulais demander à M. le major s'il avait des renseignements sur lui...

— Comment dites-vous qu'il s'appelait ? demanda Dumitrescu brusquement comme s'il se réveillait en sursaut.

— Lixandru, Gheorghitsa Lixandru.

— Tiens ? Et qui était-ce ? Quelles relations avait-il avec le camarade Borza ?

— Il en avait de très étroites, répondit Farâma en hochant la tête. Ils étaient comme frères. Quand Lixandru s'est enfui de chez lui, Borza l'a caché. Pas dans sa propre maison, bien entendu, mais dans une cave, sur le terrain vague. Tous ces garçons en effet, je dois vous le dire, avaient un faible pour les caves, pour les cabanes abandonnées et cela depuis l'affaire dont je vous ai parlé, depuis cette histoire avec le fils du rabbin. Il y avait à cette époque un terrain vague, devant l'université. On l'appelait le terrain de la mairie. On y avait entassé les blocs de pierre avec lesquels on a construit après la guerre l'aile neuve de l'université. Je crois les voir encore : de grands blocs de pierre d'un blanc bleuâtre.

— Laissez cela, interrompit Dumitrescu. Vous parliez d'une cave et puis tout à l'heure d'un mystère, avec le fils du rabbin. Quel rapport entre les deux ?

— Il y a un rapport. Le fils du rabbin a disparu dans une cave. Il a disparu comme si jamais il n'avait existé sur la surface de la terre. Sans laisser de traces. On aurait cru que le sol l'avait englouti. Mais, je dois préciser, parce que c'est vrai, que ce garçon, Iozi, savait parfaitement qu'il allait disparaître. Il a fait ses adieux à tout le monde, il a embrassé tous ses amis et connaissances et puis il s'est jeté à l'eau et personne ne l'a plus jamais vu.

— Qu'est-ce que vous racontez là, monsieur ? Où cela s'est-il passé ?

— Dans une cave abandonnée, près de l'église des Tilleuls, mais, si vous voulez comprendre, vous devez connaître toute l'histoire. C'est une longue histoire... Vous permettez que j'allume une cigarette ? demanda-t-il sur un ton d'humilité.

— Je vous en prie.

— Merci beaucoup, fit-il en prenant sa tabatière dans sa poche. J'ai été un grand fumeur dans mon existence mais à présent je peux dire que j'ai cessé de fumer. Rien qu'une cigarette de temps en temps. Je la roule moi-même, ajouta-t-il. Mais vous, probablement, vous ne fumez pas ?

— Non.

— Vous avez bien raison, dit Farâma tout en fabriquant sa cigarette. J'ai entendu dire que le tabac provoque le cancer...

Il colla le papier, alluma la cigarette et aspira les premières bouffées avidement. Puis il sourit et ferma un petit peu les yeux, l'air rêveur.

— C'est une longue histoire, commença-t-il. Pour que vous la compreniez, il faut que vous sachiez que tout a commencé avec Abdul, le garçon tatar dont je vous ai parlé tout à l'heure. Comme je vous l'ai dit, je l'ai vu travailler moi aussi. Il est entré dans la pièce, il s'est assis à la turque sur le plancher, il a tiré de sa blouse une sorte de besace en cuir, et il s'est mis à murmurer des paroles incompréhensibles, dans sa langue, en tatar. Et alors j'ai vu ce que je n'avais jamais vu de toute mon existence : j'ai vu les mouches se rassembler comme un essaim noir sur la tête du garçon. Elles ont alors formé une sorte de pelote et se sont précipitées dans la besace. Abdul a fermé cette besace, l'a remise contre sa poitrine sous sa blouse et s'est relevé en souriant. Je lui ai donné un petit billet et je dois

36

dire que pendant toute une semaine, exactement une semaine, je n'ai plus vu une seule mouche dans ma chambre. Il y en avait qui bourdonnaient dans le corridor, d'autres volaient devant les fenêtres mais aucune, absolument aucune n'entrait. Au bout de la semaine, Abdul est revenu pour recevoir le deuxième petit billet. Mais le lendemain, c'est-à-dire huit jours après cette sorcellerie, les mouches ont fait irruption chez moi, bien plus nombreuses qu'avant, à ce qu'il m'a semblé. Naturellement, je l'ai rappelé pour qu'il les enlève. C'est ainsi qu'il est venu trois fois, pendant les trois semaines de mon séjour à la villa Cornelia... Voilà ce que j'ai vu, moi. Cependant Aldea s'était lié d'amitié un an plus tôt avec Abdul. Je ne sais pas s'il lui a parlé ni ce qu'il lui a dit. En tout cas j'ai appris plus tard de Lixandru qu'Aldea était rentré à Bucarest à l'automne ayant reçu d'Abdul communication d'un secret. D'après ce que j'ai compris, voici quel pouvait être ce secret : si jamais les garçons trouvaient une cave abandonnée et pleine d'eau, il fallait qu'ils cherchent je ne sais quels signes. S'ils découvraient tous ces signes, ils auraient la preuve que cette cave était un endroit ensorcelé : de cet endroit on pouvait passer sur l'autre rive.

— Qu'est-ce que vous dites là, mon ami ? s'écria Dumitrescu en souriant.

— Oui, je crois que c'est cela que le jeune Abdul lui a révélé. Peut-être lui a-t-il appris encore autre chose, mais Lixandru ne m'a rien dit de plus. En effet, tous ces détails, je les ai sus bien plus tard, par Lixandru. Aldea, Lixandru et Iozi, le fils du rabbin de la Calea Moshilor, se sont mis, cette année-là, à rôder dans les terrains vagues, à la lisière de Bucarest, pour chercher des caves abandonnées. Ils en ont trouvé plusieurs mais deux seulement pleines d'eau. Et, d'après Lixandru, une seule de ces deux caves présentait des signes qui correspondaient à ceux que le jeune Aldea leur avaient enseignés de la part d'Abdul.

— Quel genre de signes ? demanda Dumitrescu.

— Je n'en sais rien. Ils ne me l'ont pas dit. Peut-être s'agissait-il de certaines mesures. J'ai appris, en effet, plus tard, que les garçons se promenaient toujours avec un long bâton et une besace. Le bâton on l'a retrouvé, cassé en deux, mais la besace a complètement disparu. Peut-être le fils du rabbin l'a-t-il emportée avec lui. Ce que je sais — je l'ai d'ailleurs appris par l'enquête et tous les journaux en ont parlé — ce que je sais, c'est que Lixandru a sauté le premier dans l'eau, qu'il a plongé sa tête et qu'il est resté comme cela, quelques minutes. Quand il s'est redressé, il était tout pâle, il tremblait de froid et il leur a dit : " Si j'étais resté encore un peu vous ne m'auriez plus revu. " Ensuite il a ajouté : " Si vous saviez comme c'est beau ! C'est comme dans les contes ! " Darvari a sauté après lui, a plongé lui aussi sa tête, mais il s'est relevé tout de suite. Il claquait des dents. Deux garçons ont sauté encore, Aldea et Ionescu. Le premier savait nager sous l'eau et il est resté longtemps. L'autre, Ionescu, est sorti tout de suite, presque gelé. Aldea, qui savait très bien nager, a bondi à plusieurs reprises hors de l'eau et leur a crié : " Je ne la trouve plus ! Je l'avais trouvée tout à l'heure et puis elle a disparu, elle s'est cachée de nouveau ! C'était comme une lumière, toute grande... " Il a replongé, il est resté un peu de temps au fond et puis il est remonté, découragé. " C'était comme une grotte de diamant, a-t-il dit, et tout illuminée. On aurait dit que mille cierges y brûlaient. — C'est elle ! s'écria alors le fils du rabbin. Je la reconnais ! " Après avoir dit adieu à tous ses camarades et embrassé Aldea et Lixandru, il a plongé, la tête la première. Il n'est plus jamais ressorti. Les garçons ont attendu jusqu'au soir, puis ils sont rentrés chacun chez soi, non sans avoir juré les uns aux autres qu'ils ne révéleraient à personne les signes qu'ils avaient appris. Le jour suivant Lixandru est allé chez le rabbin pour voir si le garçon était à la maison. Il n'était pas rentré.

La police l'a cherché dans tout le faubourg. Au bout du troisième jour, comme Iozi n'avait pas reparu, Lixandru est venu me raconter toute l'affaire. Il est venu avec Borza, et pourtant Borza n'avait pas assisté à ces événements. Les recherches ont alors commencé. Mais dès le début des difficultés ont surgi. En effet, les garçons disaient tous qu'il y avait beaucoup d'eau dans cette cave, plus de deux mètres et qu'on ne pouvait pas atteindre facilement le fond. Mais quand la police est venue on a constaté qu'il n'y avait qu'un mètre d'eau. On a fouillé, sans résultat. Ensuite on a fait venir une pompe, on a enlevé toute l'eau de la cave. Pas de résultat non plus. Plus tard, quand on a repris l'enquête, on a creusé dans le fond de la cave et on a découvert un vieux mur. La commission d'archéologie est intervenue et on a élargi la zone des fouilles. On a trouvé des restes de fortifications du Moyen Age et, plus profondément, des marques d'habitat humain plus anciennes encore, mais du fils du rabbin, aucune trace.

— Quand tout cela s'est-il passé ? demanda Dumitrescu.

— En octobre 1915, au début du mois, le 5 ou le 6.

Dumitrescu nota la date sur un carnet.

— Dans quelle partie de la ville cette cave se trouve-t-elle ?

— Près d'Obor, sur le terrain vague qui s'étendait entre Obor et le commencement du boulevard Pache Protopopescu. Je l'ai visitée. J'ai vu les fouilles de la commission archéologique. Aujourd'hui il ne reste plus rien. Quand les Allemands sont entrés à Bucarest, en novembre 1916, ils ont mis là un dépôt de munitions. Au moment de leur retraite, ils l'ont fait sauter. Rien n'est resté du chantier. Ensuite, après la guerre, on a construit beaucoup sur toute cette zone. A présent on n'y voit que des maisons neuves.

— Borza est-il allé là-bas avec vous ? demanda Dumitrescu.

— Il est venu avec Lixandru. Il savait tout. Pourtant il n'avait pas été présent, lors de l'affaire.

— Bon, fit Dumitrescu en souriant. Cela suffit pour aujourd'hui. Nous en reparlerons.

Ensuite, l'air soucieux, il appuya sur un bouton.

— Conduisez M. le directeur dans la salle B, dit-il au milicien qui venait d'entrer. Faites-lui servir un repas de la cantine.

— Je vous remercie beaucoup, déclara Farâma en se levant de sa chaise et en s'inclinant à plusieurs reprises.

III

Le quatrième jour, Dumitrescu déjeuna de nouveau chez Borza. Quand ils en furent au café il lui dit comme en passant, sans cesser de jouer avec son cure-dents et en regardant vaguement le mur d'en face où étaient accrochées quelques assiettes en bois et des porcelaines paysannes de Transylvanie :

— Ceux de la troisième section sont allés à la Bibliothèque de l'Académie et ils ont fouillé dans les collections de journaux de 1915. Savez-vous que Farâma avait raison ? Les choses se sont bien passées comme il nous a dit. Iozi, le fils du rabbin, s'est jeté dans l'eau et n'est plus ressorti. On n'a jamais retrouvé son corps. Il a disparu sans laisser de traces... Vous n'avez jamais entendu parler de cette histoire-là ? Vous ne vous rappelez rien ? demanda-t-il en le regardant droit dans les yeux.

— Je n'ai aucune idée de qui vous parlez,

fit Borza en prenant sa serviette et en s'essuyant le visage.

— Je vous parle de votre directeur, Farâma, le directeur de l'école Mântuleasa.

Borza posa sans dire un mot sa serviette sur la table et se laissa aller en arrière, contre le dossier de sa chaise.

— Oui, continua Dumitrescu en souriant. Il est chez nous. Je l'ai fait arrêter pour enquête. Il me paraissait suspect...

— Cela signifie, commença Borza en devenant tout rouge, cela signifie... Ah ! voilà pourquoi vous avez muté le concierge !...

— Il n'y a aucun rapport entre les deux affaires. On lui a confié une autre mission. Mais revenons à votre directeur, à ce Farâma. Je peux vous assurer que c'est un curieux homme. Il a une mémoire extraordinaire. Il se souvient des plus petits détails. Il m'a raconté à votre sujet qu'en quatrième...

— Mais ne vous ai-je pas dit, mon cher, que je ne le connais pas, que je n'ai pas été en classe dans son école ? Ne vous ai-je pas raconté que j'ai vécu, moi, aux Tilleuls, que j'y ai passé mon enfance, là-bas, aux Tilleuls ?...

— Hé, hé ! Justement, voilà le hic ! Puisque c'est vous qui avez mis la conversation là-dessus, je peux tout vous dire. De votre temps, il n'y avait aux Tilleuls que trois écoles primaires : deux de garçons et une mixte.

— Bon ! Mais quel rapport y a-t-il entre cela et le reste ? coupa nerveusement Borza.

— Il y a un rapport parce que dans aucune de ces écoles on n'a retrouvé votre immatriculation...

— Mais comment le savez-vous ?

— Nous avons fait des recherches...

Borza pâlit, le regarda longuement puis donna un violent coup de poing sur la table.

— Aneta ! cria-t-il. Fais-nous vite du café et apporte-nous la bouteille de rhum !

— Je vous ai dit que le directeur me semblait suspect, continua Dumitrescu sur le même ton de douceur. Alors, j'ai fait faire des recherches.

— Où est-il, ce bougre de directeur pour que je lui casse la figure ! explosa de nouveau Borza en donnant encore un coup de poing sur la table. Laissez-le-moi, rien qu'une nuit, et cela ira mal pour son matricule ! Je lui apprendrai à être raisonnable et à ne pas se lancer dans des dénonciations et des intrigues !...

Dumitrescu haussa les épaules et esquissa un sourire.

— Camarade Borza, commença-t-il d'une voix terne, à quoi bon vous mettre en colère contre ce directeur ? Dans cette affaire-là, tout au moins, il n'a commis aucune faute. Qu'il

44

soit suspect, c'est une autre histoire, et quand nous aurons découvert ce qu'il manigançait en venant vous voir nous vous le dirons et vous serez content... Mais en ce qui concerne vos liens avec l'école Mântuleasa, il n'est pas du tout coupable. Vous vous trouvez inscrit sur les registres de cette école entre les années 1913 et 1916 et vous n'êtes inscrit à aucune école des Tilleuls. Vous avez déclaré que vous n'avez pas fait vos études primaires. Si vous ne les aviez pas faites, vous n'auriez pas pu être nommé directement major de première classe. Vous n'avez donc aucun intérêt à contredire Farâma. D'ailleurs il est fort probable que vous avez fait vos classes primaires à Mântuleasa et que vous l'avez oublié. Il y a de cela plus de trente ans. Qui donc peut se souvenir de ce qui s'est passé il y a trente ans ?

— Il se peut que j'aie oublié, fit Borza en devenant tout pensif. Eh oui, vous avez raison : j'ai oublié. J'ai eu une enfance difficile. J'étais un fils du peuple. J'ai été persécuté par la société...

— Mais ce qui vous est arrivé, mon cher, c'est formidable ! s'écria Dumitrescu sur un ton admiratif. Quels amis aviez-vous donc, dans cette école ! Quels curieux individus ! On dirait que vous avez vécu un roman !

— Oh ! Vous savez, les enfants... fit Borza en souriant, l'air gêné.

— Non ! Il y a autre chose, continua Dumitrescu avec une pointe de mélancolie dans la voix. Vous avez connu une autre époque, vous avez passé votre enfance avant l'autre guerre. Et vous avez eu la chance de vous lier d'amitié toujours avec des garçons intelligents, et à l'esprit entreprenant. Surtout avec ce Lixandru, n'est-ce pas, c'est bien ainsi qu'il s'appelait... Celui qui tirait à l'arc...

— J'ai l'impression que je commence à me souvenir, fit Borza l'air rêveur. Mais, à dire vrai, ajouta-t-il, ce qu'il y a eu de plus intéressant je l'ai oublié. Maintenant, puisque vous m'en parlez, il me semble, en effet, que je me rappelle un garçon qui tirait à l'arc, oui, mais c'est tout...

Aneta entra avec le plateau de tasses à café et la bouteille de rhum. Elle posa le tout sur la table et fit mine de s'asseoir mais Borza l'avertit, d'un clin d'œil, de n'en rien faire. Elle sourit, l'air embarrassé, ouvrit la bouteille de rhum, remplit deux verres et se retira. Après avoir avalé d'un seul coup son verre, Borza prit la bouteille et se servit de nouveau à ras bord.

— Bon ! Et maintenant, qu'est-ce que vous allez faire ? demanda-t-il. Vous le garderez longtemps ?

Dumitrescu hocha la tête tout en jouant machinalement avec son cure-dents.

— Cela ne dépend pas de nous, dit-il. Il faut d'abord qu'il finisse d'écrire sa déclaration. A mesure qu'il la rédige nous faisons des recherches. Nous finirons bien par savoir ce qu'il voulait obtenir de vous. De toute manière, une chose est sûre : il est suspect. Toutes les histoires qu'il raconte sur la rue Mântuleasa l'aident à gagner du temps. Mais cela ne fait rien, ajouta-t-il en souriant, laissons-le parler. Nous avons tout notre temps. Ne nous pressons pas.

— Je me demande en effet ce qu'il voulait obtenir de moi, fit Borza l'air pensif. Quand vous l'avez interrogé, que vous a-t-il dit ?

— Eh bien, je crois qu'il a commis alors sa première faute, commença Dumitrescu, avec une brusque vivacité. Il ne s'en est pas rendu compte mais quand j'ai écouté l'enregistrement pour la seconde fois je me suis aperçu qu'il s'était coupé. Il s'est trahi sans le vouloir et il nous a donné une piste à suivre. Il nous a dit qu'il était venu vous voir pour bavarder un peu, pour évoquer vos souvenirs d'enfance et pour vous demander si vous aviez des nouvelles de Lixandru. Je ne sais pas si vous saisissez...

— Oui, oui, je crois comprendre...

— Hein ? Vous voyez ? Ce Lixandru, d'après Farâma, était très lié avec vous et avec un garçon nommé Darvari. Or, Darvari — nous l'avons vérifié — a disparu avec son avion, en 1930, entre l'île des Serpents et Odessa, sans laisser aucune trace. Ou plutôt si ! D'après certains indices, il se serait enfui en Russie et cela, je ne sais pas si vous me suivez bien — en 1930 ! Nous faisons des recherches... Or, il est fort probable que Farâma l'avait revu à plusieurs reprises, bien après sa sortie de l'Ecole militaire et même bien après l'époque où il a obtenu son brevet de pilote. Selon ses propres déclarations, Farâma rencontrait souvent le meilleur ami de ce Darvari, Lixandru... Je crois que c'est d'ici que part la bonne piste, ajouta Dumitrescu en clignant des yeux, l'air énigmatique.

— Je ne me rappelle absolument rien, fit Borza, sur un ton de désespoir.

— Ensuite, quand il m'a raconté vos séances de tir à l'arc, j'ai bien compris qu'il était venu vous voir uniquement pour vous faire parler, pour obtenir des nouvelles de Darvari et de Lixandru. Car enfin, et cela je crois que vous vous le rappelez, vous vous retrouviez tous sur le terrain vague de la mairie et vous tiriez à l'arc.

— Oui. Nous tirions à l'arc, reconnut Borza en hochant la tête.

— Bon, mais dans ce cas il ne vous paraît pas bizarre que ce soit justement à lui, à Lixandru, que ce qui est arrivé soit arrivé ?

Borza, la gorge sèche, fit effort pour avaler sa salive, prit son verre de rhum et l'engloutit d'un trait.

— Que Dieu me damne si je me souviens de quoi que ce soit ! s'écria-t-il en essuyant son visage avec sa serviette.

— Alors vous êtes amnésique, déclara Dumitrescu en souriant. Vous avez perdu la mémoire.

— C'est cela, vous avez raison. J'ai perdu la mémoire. Je vous ai raconté comment j'ai été torturé dans les caves de la préfecture...

— Oui, parce qu'une affaire comme celle-là on ne peut pas l'oublier, même après trente ans et plus, continua Dumitrescu. Vous vous réunissiez sur le terrain vague et vous tiriez à l'arc. Vous tiriez uniquement en l'air depuis que vous aviez eu la stupeur de ne plus retrouver la flèche de Lixandru. Cela vous avait donné à réfléchir. Vous lanciez tous vos flèches à une quinzaine de mètres et puis voilà qu'au moment où Lixandru a tiré la sienne celle-ci a volé par-dessus les blocs de pierre — vous vous souvenez de ces blocs, ils étaient là sur le terrain vague, pour la construction de l'université — vous l'avez vue, cette flèche, s'envoler au-dessus des blocs, traverser le terrain vague et se diriger vers la statue de Bratianu. Vous avez couru à sa poursuite, effrayés à l'idée qu'elle ait pu blesser un passant. Vous l'avez cherchée sur le boulevard, près de la statue, et vous ne l'avez pas trouvée. Alors, vous avez décidé de ne plus tirer qu'en l'air. Vous lanciez vos flèches à une douzaine, une quinzaine, une vingtaine de mètres de hauteur, chacun selon ses forces. Cependant quand ce fut le tour de Lixandru vous avez vu sa flèche s'envoler, s'envoler, vous l'avez suivie des yeux tant que vous avez pu jusqu'au moment où vous avez senti vos nuques s'ankyloser. Ensuite vous ne l'avez plus aperçue du tout et vous vous êtes assis près des grosses pierres dans l'attente qu'elle retombe. Vous aviez peur, peur qu'elle retombe avec une grande force et vous restiez près des pierres afin de vous mettre à l'abri. Mais vous avez eu beau attendre deux ou trois heures, la flèche n'est pas retombée.

— Allons donc ! s'écria Borza sur un ton d'incrédulité. Dites-moi quand cela s'est passé ?

— D'après les déclarations de Farâma c'était au printemps de 1916, probablement en avril ou en mai 1916, pendant les vacances de Pâques. Alors ? Qu'en dites-vous ? ajouta-t-il en souriant, l'air entendu. Cela ne vous semble pas suspect ? Vous ne voyez pas le lien ? Voilà pourquoi il est venu vous voir, ajouta-t-il en baissant brusquement la voix.

— Quelle affaire ! murmura Borza effondré.

Dumitrescu se mit à rire, l'air jovial, et remplit son verre de rhum.

— Ne vous faites pas de mauvais sang, dit-il. Nous allons trouver le joint. Il faut que nous ayons un peu de patience. Je lui ai demandé d'écrire tout ce qu'il savait sur Lixandru et sur Darvari. Il a réclamé du papier, deux fois en trois jours. Il rédige bien, il a un style coulant, c'est un artiste mais son écriture est difficile à lire. On tape en ce moment à la machine ce qu'il a écrit jusqu'à hier soir. Mais il remonte au déluge, comme à son habitude. J'ai lu son texte, toute la matinée, et je n'en suis pas encore arrivé à Darvari. Il a raconté toute une histoire au sujet d'une amie à vous, qui était d'Obor et qui s'appelait Oana. Vous vous en souvenez ? La fille du cabaretier. Une femme terrible, celle-là aussi ! Elle mesurait deux mètres quarante-deux. Farâma a raconté son histoire en commençant par la fin, par son mariage avec un Estonien. Ils sont morts et ils ont légué tous les deux leur squelette à l'université de Dorpat. J'ai demandé que l'on fasse des recherches à Dorpat et qu'on sache ce qu'il y a de vrai dans toute cette affaire-là. Nous attendons le résultat.

IV

Toute cette semaine-là et la semaine suivante, Farâma les passa à écrire, penché sur sa table de bois. Dès la seconde nuit, on lui avait donné une autre chambre, dans l'aile ancienne de la bâtisse, une petite pièce garnie d'un lit de fer, d'un mauvais matelas, d'une chaise et d'une table. Il y avait une fenêtre mais qui ne donnait que sur le mur gris d'en face. Deux fois par jour un gardien entrait, lui apportait un repas de la cantine, le posait sur la table et lui faisait signer un bon. Quand il avait rempli une rame de papier, Farâma se levait et allait frapper à la porte. Le gardien lui prenait les feuillets déjà écrits puis revenait tout de suite après avec une rame neuve. Il écrivait au recto et au verso comme on l'avait prié de le faire au moment où il avait rendu les premières pages. Toutes les fois qu'il passait à l'interrogatoire, on lui recommandait d'écrire plus lisiblement. De retour dans sa chambre, il s'appliquait, séparait bien les lettres mais, vite, il se laissait emporter par l'élan de ses souvenirs et il retrouvait sa manière habituelle d'écrire, difficilement déchiffrable.

Farâma se rendait bien compte que c'était son gribouillage qui lui valait de passer aussi souvent devant les enquêteurs. Parfois on lui demandait, la nuit, de raconter ce qu'il avait écrit le jour. Le gardien venait le chercher et ils s'en allaient tous les deux, par un itinéraire qui n'était jamais le même. Ils passaient chaque fois par d'autres corridors, descendaient et montaient d'autres escaliers, traversaient de grandes salles, les unes sombres, les autres trop fortement éclairées, où l'on ne voyait qu'un milicien assis sur un banc et qui luttait contre le sommeil. Parfois, le gardien l'arrêtait devant un mur et appuyait sur un bouton. Bientôt arrivait l'ascenseur. Ils montaient ou descendaient plusieurs étages. Ensuite le gardien frappait à une porte et faisait entrer Farâma dans un bureau puissamment éclairé. De l'autre côté de la table Dumitrescu l'attendait, souriant, ses doigts jouant avec un crayon.

Les choses se passèrent ainsi pendant deux semaines. Puis, un matin, le gardien ouvrit la porte et cria :

— Suivez-moi !

Farâma, qui était en train de travailler, tourna la tête, l'air embarrassé.

— Je commençais à peine. J'avais une envie folle de rédiger...

— C'est un ordre, fit le gardien.

Farâma reposa avec soin son porte-plume sur le papier buvard, ferma la bouteille d'encre et sortit.

Cette fois-là, ils eurent moins à marcher que d'habitude. Au bout du corridor, un milicien les attendait. Le gardien lui confia son prisonnier. Le milicien conduisit alors Farâma vers un nouvel ascenseur. Ils descendirent jusqu'au rez-de-chaussée, longèrent un mur, puis entrèrent dans un autre corps de bâtiment. Au premier étage, le milicien s'arrêta devant une porte et frappa. Un jeune homme lui ouvrit. Il avait un visage lumineux. On eût dit qu'il souriait tout le temps.

— Vous êtes bien Farâma, le directeur de l'école Mântuleasa ?

— C'est moi, dit-il en s'inclinant poliment.

— Venez, mais vous, commanda-t-il au milicien, attendez en bas.

Ils traversèrent une salle, puis le jeune homme ouvrit une porte et fit signe à Farâma d'entrer tout seul. La pièce était spacieuse, éclairée par beaucoup de fenêtres et meublée avec luxe. Derrière un bureau se trouvait un homme d'une cinquantaine d'années, aux

tempes grisonnantes, le nez aplati et les
lèvres très minces.

— Eh bien, s'écria-t-il sur un ton jovial,
dites-moi donc, Farâma, que s'est-il passé avec
Oana ?

— C'est une longue histoire, commença le
directeur avec gêne. Pour que vous compreniez
bien cette affaire il faudrait que vous sachiez
d'abord la mésaventure survenue à son grand-
père, le garde forestier. A mon avis tout a
commencé par là. Ce grand-père, qui avait,
quand je l'ai connu, en 1915, à peu près qua-
tre-vingt-quinze ans, a trahi le pacte qu'il avait
conclu avec le fils aîné du pacha de Silistrie.
Etant encore adolescent il avait été capturé
par les Turcs juste au moment où il essayait de faire sauter la poudrière de la garnison de Silistrie. On l'avait condamné à être
jeté dans le Danube ligoté au fond d'un sac,
avec aux pieds des blocs de pierre. C'est ainsi
que les Turcs traitaient les fils de chrétiens
condamnés à mort. Ils ne les pendaient pas,
ils ne leur coupaient pas la tête, ils les
noyaient. Or, le fils aîné du pacha sauva la
vie de cet adolescent. Il le réclama pour faire
de lui son esclave. Comme ils avaient à peu
près le même âge ils se lièrent bientôt d'amitié
et devinrent comme frères. Le fils du pacha
s'appelait Selim et il serait devenu un grand
personnage dans son pays si le garde forestier

n'avait pas trahi son engagement. Pour que vous compreniez bien comment se sont passées les choses, je dois vous dire que le pacha avait marié Selim quand il avait seize ans. Il lui avait donné deux femmes à la fois, une Grecque turcisée du Phanar et une Turque.

— Allons, Farâma, interrompit l'homme assis derrière le bureau, laissez cela. Je vous ai posé une question précise : que s'est-il passé avec Oana ?

— Il me sera difficile de vous le raconter, dit Farâma sur un ton d'excuse. Après mûre réflexion, je crois que tout a commencé à partir du garde...

— Laissez donc ce garde forestier, coupa l'autre une nouvelle fois en esquissant un sourire. Dites-moi ce que vous savez sur Oana. Quand l'avez-vous connue ? Comment était-elle ?

Farâma hocha la tête, l'air désespéré. On eût dit qu'il se demandait par quel moyen il pourrait bien se faire comprendre étant donné qu'on ne lui laissait pas raconter les choses comme elles s'étaient passées.

— Quand je l'ai connue, reprit-il, c'était en 1915. Elle avait treize ans et elle mesurait deux mètres. Elle n'était pas seulement immense. Elle était vigoureuse, de forte carrure et belle comme une statue. Elle avait des yeux noirs, de longs cheveux blonds qui flottaient sur ses épaules, elle allait toujours pieds nus et sautait d'un bond sur les chevaux. Elle les montait sans selle, à la cosaque, et ne choisissait que des bêtes vicieuses. Toute petite, les maquignons l'emmenaient sur les champs de foire pour qu'elle essaie leurs chevaux. Voici comment je l'ai connue, je m'en souviens encore : un jour un parent d'élève est venu me trouver — c'était un marchand de la rue Armeneasca — pour me dire que son fils était à la maison, couché, à la suite d'une bagarre entre gamins. " Où se sont-ils battus ? ai-je demandé. — Il ne veut pas me le dire, répondit le marchand. — Bon ! Je vais avec vous et je finirai bien par le savoir, moi ! " Je pris mon chapeau et l'accompagnai rue Armeneasca. Je suis entré tout seul dans la chambre du garçon. Il était allongé sur son lit, très pâle. " Avec qui t'es-tu battu mon petit ? lui ai-je demandé. — Avec Oana, me répondit-il, Oana, la fille du père Fanica, d'Obor, mais nous ne nous sommes pas battus, nous avons joué à la lutte. Je suis le plus fort à la lutte, et mes camarades m'avaient dit d'essayer avec elle. Mais Oana n'a pas voulu. Elle s'est contentée de me soulever sur ses épaules et de me faire tournoyer, plutôt par plaisanterie, jusqu'au moment où l'un des garçons a crié : Regardez ! elle n'a pas de culotte ! Alors Oana m'a lancé en l'air par-dessus sa tête et je suis retombé. Mes camarades m'ont ramené à la maison. — Bon, lui ai-je dit, ce n'est rien. Cela va passer. " Et quand j'ai retrouvé son père, qui m'attendait dans le corridor, je lui ai conseillé de garder son fils à la maison quelques jours. " J'excuserai moi-même son absence, ai-je ajouté, mais vous feriez bien de le montrer à un médecin. " Ensuite je suis allé à Obor... Maintenant, excusez-moi, commença Farâma sur un autre ton, ne vous fâchez pas si je vous adresse une prière...

— Dites !

— Je vous demanderai de me laisser me reposer un instant sur une chaise. Je souffre d'une espèce de rhumatisme.

— Asseyez-vous, je vous en prie, fit l'homme.

— Je vous remercie beaucoup, répondit Farâma en s'installant près du bureau et en se mettant à se frotter les genoux. — Au bout de quelques instants il reprit son récit. — Je suis allé à Obor dans l'après-midi. J'ai trouvé rapidement le cabaret de Fanica Tunsu. Tout le faubourg le connaissait. Je suis entré et j'ai interrogé le patron. C'était un brave homme, robuste, un peu rougeaud mais, enfin, un homme comme tout le monde. " Vous avez une fille, Oana, ai-je commencé. Elle est un peu extraordinaire. — Sa mère et moi nous avons fait comme nous avons pu, me répondit le cabaretier. Le reste, c'est l'affaire du bon Dieu... " Je n'ai pas très bien saisi sur le moment ce qu'il voulait dire. Mais nous sommes sortis dans la cour et j'ai compris. C'était vrai. Je peux dire que cette affaire relevait du bon Dieu. Et il avait fait un joli coup le bon Dieu ! Oana était en train de lutter avec un valet, un garçon bâti comme une montagne. Il avait enlevé ses bottes et il se donnait à fond mais on voyait bien qu'il était à bout de souffle. Oana l'avait empoigné, à hauteur des côtes, et le serrait à l'étoufffer. Tout à coup, elle a tournoyé avec lui, sur place, deux ou trois fois, l'a renversé par terre et s'est précipitée pour l'immobiliser, les deux épaules contre le sol. Et je me suis aperçu alors que l'écolier avait eu raison. A cette époque, les femmes portaient encore sous leur robe des sortes de pantalons longs mais Oana n'en avait pas. Elle n'avait rien. Elle était comme une statue, vous comprenez ce que je veux dire.

— Et vous dites qu'elle était belle ? interrogea l'homme, tout rêveur.

— Elle était comme une statue, répéta Farâma en hochant la tête. Une statue, voyez-vous, si elle est bien faite, elle a beau être grande, cela ne fait rien. Oana était comme cela. Elle se serait promenée entièrement nue, personne n'aurait remarqué à quel point elle était grande et robuste. Mais quand on la

59

voyait tout habillée, on avait peur. On aurait dit la fille d'un géant. Voilà comment l'histoire d'Oana a commencé. Par un combat, une lutte. C'est une longue histoire... Vous me permettez de fumer ? demanda Farâma, après un court silence.

— Je vous en prie, répondit l'autre d'une voix absente et l'on aurait dit qu'il s'éveillait d'un rêve.

— Merci beaucoup.

Farâma prit son paquet dans sa poche et alluma une cigarette.

— Par où commencer ? fit-il après avoir aspiré lentement une première bouffée. Je vous ai dit que c'était une longue histoire. Elle a duré des années et des années, jusqu'en 1930. Si on me laissait libre, je la ferais partir de 1840. Oui, elle dure depuis à peu près un siècle. Mais supposons que vous en connaissiez le début et que nous soyons en 1915, l'année où j'ai pris moi-même contact avec Oana. Mes élèves l'avaient rencontrée par hasard et s'étaient liés d'amitié avec elle quelques mois auparavant, à l'époque où ils rôdaient sur la lisière de la ville, à la recherche de caves abandonnées. Parmi tous ces garçons, c'était surtout avec Lixandru et avec Darvari qu'elle aimait frayer. Pendant l'été suivant, en 1916, les deux jeunes gens venaient tous les samedis à Obor, et Oana les emmenait dans sa voiture chez sa grand-mère, dans la forêt de l'Oiseau, et ils restaient là-bas jusqu'au lundi matin. Oana les aimait bien, c'était des garçons dégourdis et pleins d'imagination. De l'imagination, elle en avait elle aussi et même beaucoup, mais à sa manière, comme vous allez voir. Bien des choses se sont passées là-bas, pendant la nuit, dans la forêt de l'Oiseau. Je n'ai pas tout su, mais ce que j'ai appris m'a suffi pour que je comprenne pourquoi ces jeunes gens se sont engagés sur des chemins à ce point inattendus. Il faut que vous sachiez, en effet, qu'à part Lixandru, qui avait alors à peu près quatorze ans, tous les autres, qui étaient au nombre de cinq, n'étaient que des enfants. Ils avaient entre onze et douze ans. C'est Ionescu qui m'a raconté le premier événement. Je crois que, cette nuit-là, vers le début de l'été, en juin, le jeune Ionescu, ayant soif, s'est levé et s'en est allé chercher de l'eau, dehors, au tonneau. Les garçons dormaient dans une sorte de grange, près de la maison du garde forestier, en plein cœur de la forêt. Ionescu, après avoir bu, a contemplé la forêt et a cru voir une apparition. Il a eu peur. Mais il s'est vite rendu compte que c'était Oana et alors, pieds nus, il s'est lancé à sa poursuite. Ce jeune garçon était curieux par nature. La lune brillait. Il pouvait suivre la jeune fille de loin. Mais il n'eut pas à marcher beaucoup. Oana s'est arrêtée au bord d'une clairière. Elle a enlevé sa robe et, entièrement nue, elle s'est mise à fouiller, à genoux, entre les herbes. Puis elle s'est relevée et elle a dansé en rond, tournoyant sur elle-même, sans cesser de chanter ni de murmurer des paroles. Le garçon n'entendait pas tout mais il percevait ce refrain : " Mandragore, Dame bonne, marie-moi ! " Lui, enfant qu'il était, il ne se rendait pas compte qu'il s'agissait là d'une cantilène magique, d'une sorcellerie de mariage. Il se tenait accroupi derrière un arbre, à quelques mètres d'elle, prêt à bondir pour lui faire peur. Tout à coup il vit Oana s'arrêter de danser, mettre les mains sur ses hanches et il l'entendit crier : " Marie-moi ! Marie-moi donc ! J'ai la cervelle en feu ! " L'instant d'après, le garçon pétrifié vit surgir des broussailles un fantôme, une vieille femme en haillons, les cheveux dénoués, portant un collier d'or autour du cou. Elle se précipita menaçante vers Oana et lui cria : " Holà ! Espèce de folle ! Holà ! Tu n'as pas encore quatorze ans ! " Oana tomba à genoux et pencha la tête. " Calme-toi ! reprit la vieille. Ce que le destin t'a préparé, moi je ne peux pas le défaire. Quand ce sera pour toi le moment d'être mariée, va sur la montagne. C'est de là-haut que viendra ton mari. Un sorcier comme toi, à cheval sur deux chevaux, un fou-

lard rouge autour du cou. " Ensuite, a raconté
Ionescu, le fantôme a disparu entre les herbes
folles et les broussailles. Mais à partir de ce
moment-là Oana n'a plus eu qu'une pensée :
la montagne. Cependant, à l'automne, la Roumanie est entrée en guerre et la jeune fille n'a
pas réussi à monter jusqu'en haut. Elle s'est
mise en route pourtant, mais pas seule. Elle
avait emmené avec elle les garçons...

— Comment donc son père a-t-il pu la laisser partir ainsi, à quatorze ans, pour la montagne, seule au milieu de ces garçons ? demanda l'homme installé derrière le bureau.

— Ah ! dit Farâma en souriant, c'est une
longue histoire. J'en ai raconté une partie,
avant-hier. Je ne sais pas si vous avez eu l'occasion de jeter un coup d'œil sur ce que j'ai
écrit. Son père l'a laissée partir parce que, cette
année-là, le docteur était revenu chez le garde
forestier et que ce docteur était doué de pouvoirs curieux.

— Le docteur ? Comment était-il, celui-là ?
demanda l'homme. Comment s'appelait-il ?

— Son nom véritable, il n'y a que le garde
forestier qui le savait. Il le connaissait depuis
son enfance. Les gens l'appelaient le docteur
parce qu'il s'y entendait en médicaments de
toutes sortes et qu'il voyageait tout le temps
dans des pays étrangers, lointains. Il parlait
plusieurs langues, était versé dans des sciences

innombrables et guérissait les gens et les bêtes avec des remèdes simples, de bonne femme. Mais il avait un faible pour la prestidigitation. Il avait un immense talent. C'était un illusionniste et un fakir. Dieu sait ce qu'il n'était pas ! Il faisait des choses incroyables, et tout cela pour son plaisir. Il ne s'exhibait qu'aux foires de campagne et dans les petites bourgades, jamais à Bucarest. Il avait une passion : prendre avec lui quelques enfants dans deux carrioles à trois chevaux et parcourir le pays, de village en village pendant un mois, de la Saint-Pierre au 15 août. Cette année-là, en 1916, il était parti avec Oana, Lixandru, Aldea et Ionescu. Ils avaient gagné Câmpulung et de là ils avaient pris la direction de la montagne. Mais ils n'avaient pas eu le temps de monter bien haut parce que la Roumanie, je vous l'ai dit, était entrée en guerre... Un grand prestidigitateur ! s'écria Farâma en hochant la tête.

— Vous l'avez vu ?

— Je l'ai vu souvent au travail, je veux dire pendant ses tours. La première fois c'était dans le jardin du garde forestier. Un tour fabuleux ! J'ai fait, malgré moi, un signe de croix ! Nous attendions, un dimanche soir, que les chevaux fussent attelés aux voitures pour repartir. Nous étions une dizaine et nous avions tous à faire le lendemain à Bucarest. " Attendez ! Je vais vous montrer quelque chose ! " cria le

64

docteur en battant des mains pour obtenir le silence. Ensuite il se mit à faire les cent pas devant nous, les mains dans les poches, les sourcils froncés, l'air tout pensif. Tout à coup, il leva le bras en l'air et saisit un objet. En regardant bien, nous nous aperçûmes que c'était une sorte de barre longue, en verre. Il la planta dans le sol et se mit à la dérouler, à l'étirer et il en fit très vite un carreau d'un mètre cinquante environ de haut et de large. Il le fixa solidement en terre puis il l'empoigna par un côté et se mit à l'étirer encore. Le carreau se déroulait derrière lui. Au bout de deux ou trois minutes, il eut fabriqué un bassin de verre, une sorte d'aquarium énorme. Nous vîmes ensuite l'eau sourdre du terrain, en bouillonnant, et le bassin se remplit jusqu'à ras bord. Le docteur fit encore quelques gestes et nous aperçûmes des poissons de toutes sortes, gros et aux couleurs variées, qui nageaient dans le bassin. Nous étions pétrifiés. Le docteur alluma une cigarette puis se tourna vers nous et dit : " Approchez ! Regardez bien les poissons et demandez-moi celui que vous voulez ! " Nous nous sommes approchés et nous avons repéré un poisson énorme, à la nageoire dorsale bleue et aux yeux roses. " Ha ! dit le docteur, vous avez bien choisi. C'est un *Ichthys Columbarius*, un poisson rare qui vit dans les mers du Sud. " Et, sans ôter la cigarette de ses lèvres il traversa la paroi vitrée, telle une ombre, et pénétra dans le bassin. Il resta dans l'eau, au milieu des poissons, un peu de temps, comme pour bien se montrer à nous. Il se promenait, la cigarette à la bouche et sans cesser de fumer, puis il tendit la main et prit le *Columbarius.* Il sortit du bassin comme il était entré, en traversant la vitre, la cigarette toujours au coin des lèvres, le poisson à la main et nous le montra. Nous avons vu la bête qui se débattait dans sa main, mais c'est surtout lui, le docteur, que nous regardions. On n'apercevait pas la moindre goutte d'eau sur lui, ni sur son visage ni sur ses vêtements. L'un de nous s'empara du poisson qui s'échappa brusquement et sauta dans l'herbe. Nous bondîmes pour l'attraper. Le docteur riait. Il saisit la bête, s'approcha du bassin, tendit la main à travers la vitre et la remit dans l'eau. Puis il battit des mains et l'aquarium, avec son eau et ses poissons, disparut d'un seul coup.

— Un grand illusionniste ! s'écria le personnage installé derrière le bureau.

— Oui, très grand, dit Farâma. Mais tout ce que je viens de vous raconter là n'est rien en comparaison de ce qu'il faisait dans les foires et les marchés, surtout l'été où il a emmené avec lui Oana et les garçons. Vous imaginez sans peine qu'après l'avoir vu à la forêt de l'Oiseau, je brûlais d'envie de le retrouver.

66

Je les ai tous rejoints, en chemin de fer, à Domneshti, à environ quarante kilomètres de Câmpulung. Il y avait là un grand marché à bestiaux, et je suis resté avec eux pendant cinq jours. Il faisait des tours de passe-passe deux ou trois fois par jour, et il les variait tout le temps. Chaque fois, aussi, il changeait de cérémonial. Il aimait beaucoup opérer en grande pompe et présenter son spectacle comme un gala. Le premier jour, Lixandru fit son apparition sur un cheval blanc, habillé comme un prince, et il se promena de-ci de-là dans le bourg sans prononcer un mot. Je dis que c'était Lixandru parce que je le savais et que j'avais bavardé avec lui ce matin-là. Sinon, je ne l'aurais pas reconnu. Il faut dire que le docteur l'avait métamorphosé, l'avait rendu plus grand, plus vigoureux. On eût dit un gaillard de vingt ans. Il portait une riche chevelure qui tombait en boucles sur ses épaules, à la mode de l'ancien temps. Son visage n'avait pas changé vraiment mais n'était plus tout à fait le sien : il était beaucoup plus beau. Ses regards étaient différents, profonds, nobles et mélancoliques. Si vous saviez comme il était habillé et quel cheval il montait ! Les gens, quelques centaines de personnes, se sont rassemblés autour de lui, puis ils l'ont accompagné jusqu'à la tente du docteur. C'était une tente géante, ainsi qu'en ont les grands cirques des villes. Je n'ai jamais compris comment le docteur la transportait d'un village à l'autre. Il n'avait que deux carrioles. Devant la tente, Ionescu était là, pour attendre Lixandru. Lui aussi était méconnaissable. Grand et gros, les lèvres épaisses comme celles d'un Noir, vêtu d'un large pantalon à la turque, la poitrine nue et un yatagan à la main, il criait : " Entrez ! nous travaillons pour gagner la dot d'Oana ! " Quand les gens entraient ils étaient accueillis par Aldea, installé à une table de grand seigneur, une table aux pieds en or, avec tout autour des sacs pleins de ducats. " Cinq sous, cinq sous ! criait Aldea, et nous vous rendons la monnaie ! " En fait de monnaie, les gens donnaient leurs cinq sous et recevaient un ducat en or. " Attention ! leur disait Aldea, ils n'ont plus cours, ils n'ont aucune valeur ! " et il fourrait sa main dans l'un des sacs pour distribuer les ducats.

— Un grand illusionniste ! s'écria le personnage assis au bureau.

— Très grand, dit Farâma. J'ai voulu voir un sac de plus près et les ducats qu'il contenait . " Ils n'ont plus cours, monsieur le directeur ", me dit Aldea. En vérité, c'était des thalers du temps de Marie-Thérèse et des ducats de Pierre le Grand ainsi que des monnaies turques de diverses sortes... Mais aucune comparaison entre tout cela et ce qui allait suivre.

Une fois que la tente fut pleine de spectateurs, le docteur fit son apparition sur la scène. Il était en frac et gants blancs. Il portait des moustaches longues, fines, très noires. Il battit des mains, et Oana vint le rejoindre. Elle seule n'avait pas changé du tout, sauf qu'elle était vêtue d'un maillot blanc, collant. On eût dit une statue. Ensuite le docteur leva la main et prit, comme si elle flottait en l'air, une petite boîte pareille à une boîte de médicaments. Il se mit à l'étirer, à la distendre, et la boîte grossit à vue d'œil. Il l'élargit, l'allongea, l'étira vers le haut et vers le bas. En fin de compte, il la transforma en un coffre de deux mètres de longueur et aussi de largeur et de hauteur. Puis il demanda à Oana de la prendre à deux mains et de la soulever le plus haut possible au-dessus de sa tête. La jeune fille, immobile, les bras dressés et tenant le coffre en l'air ressemblait de plus en plus à une statue. On eût dit une caryatide. Le docteur fit quelques pas, la mine satisfaite, vint devant elle, tendit de nouveau la main et prit, dans le vide, une boîte d'allumettes. Il allongea les brins de bois, les élargit, les grossit et en fit une échelle qu'il appliqua contre le coffre. Ensuite il se tourna vers le public et cria : " Que les autorités s'approchent ! " Comme personne n'osait avancer, il se mit à appeler les gens par leur nom comme s'il les connaissait depuis toujours. " Monsieur le maire, je vous prie, venez, monsieur le maire, avec votre femme. Amenez aussi Ionel. Approchez, monsieur le chef de poste, monsieur le sergent-major Namolosu. Venez, vous aussi, monsieur l'instituteur Un-tel... " Et ainsi de suite. Il s'adressait à chacun séparément et le priait de sortir de la foule. Puis, le prenant par la main, il l'invitait à monter sur l'échelle et à entrer dans le coffre. Les gens hésitaient un peu, mais une fois arrivés là-haut, devant l'ouverture de la caisse, ils avaient honte de faire demi-tour et ils entraient. C'est ainsi que le maire, sa femme et leur enfant Ionel disparurent dans l'énorme boîte, puis l'instituteur et le chef de poste, de même l'adjoint au maire et toute sa famille : il était venu avec ses trois belles-sœurs accompagnées chacune de plusieurs enfants. Ensuite, des gens pris au hasard, que le docteur appelait tour à tour par leur nom. Tous ont grimpé l'échelle, une quarantaine de personnes environ. A la fin, le docteur aperçut le pope qui venait juste d'arriver, et il s'avança vers lui dans la foule pour l'inviter. " Je vous en prie, mon Père, je vous en prie, venez aussi ! " Le pope, au début, ne voulait pas. " Qu'est-ce que c'est que cette diablerie, docteur ? demanda-t-il. Qu'al-lez-vous faire à ces gens-là ? — Je vous en prie, mon Père ! Venez et vous verrez ! " Le pope était âgé et marchait difficilement mais il avait une belle prestance et une certaine robustesse. Il monta lentement sur l'échelle et disparut à son tour dans le coffre. Pendant tout ce temps-là, Oana était restée immobile. On eût dit qu'elle tenait dans ses mains un simple foulard. Dès qu'il eut constaté que le pope était bien entré, le docteur grimpa sur l'échelle et se mit à manipuler le coffre. Il le serra, le pressa, le comprima, en appuyant tantôt sur les côtés, tantôt sur le haut et sur le bas jusqu'au moment où il le réduisit de moitié. Il le prit alors à bras le corps et le descendit sur le sol. Là, sous les yeux de la foule, il recommença à l'écraser, à le comprimer, et au bout de quelques minutes, il réussit à lui donner ses dimensions primitives, celles d'une petite boîte de médicaments. Il la saisit entre ses doigts et la fit tournoyer quelques instants. Elle devint alors minuscule, pas plus grosse qu'un pois. Il demanda aux gens : " Qui la veut ? " Un vieillard répondit, des derniers rangs : " Moi ! Donnez-la-moi, docteur. Tous mes petits-enfants sont dedans ! " Le docteur l'expédia en l'air d'une pichenette, mais elle était devenue si petite qu'à peine l'eut-il lancée elle disparut tout à fait. On entendit alors comme un claquement de fouet et tout le monde, le pope, le maire, toutes les autres personnes se retrouvèrent à leur place, exactement comme avant...

— Un illusionniste formidable !...

— Inouï, ajouta Farâma en hochant la tête. Mais tout ce que je viens de vous raconter là n'est rien comparé avec ce qui s'est produit à Câmpulung. Vraiment, à Câmpulung, le docteur a dépassé les bornes. Toute la garnison était venue, le général en tête, les officiers et leurs familles. Il faut dire qu'il y avait eu fête cet après-midi-là au jardin public. Le général avait été satisfait de l'ambiance et il avait donné à la troupe, ainsi qu'à la musique militaire, la permission d'aller à la séance. Le docteur les a tous invités à monter dans le coffre. Cependant, à mon avis, il a commis une erreur. Il n'aurait pas dû faire jouer la fanfare pendant qu'elle grimpait à l'échelle. Il l'a exigé. Les musiciens soufflaient dans leurs trombones derrière les clairons. Puis venaient les tambours et tous disparaissaient dans le coffre. A la fin on n'a plus entendu, au sommet de l'échelle, qu'un seul musicien, le dernier des tambours. Je ne sais pas ce qui lui a pris mais, arrivé là-haut, il a continué de taper sur son instrument sans vouloir entrer. Le docteur lui a fait signe de cesser de jouer et lui a demandé : " Qu'est-ce qu'il y a, jeune soldat ? Tu n'entres pas ? Pourquoi ? Il n'y a plus de place pour toi ? — Bien sûr ! Il y en aurait ! Dans le coffre, il n'y a personne ! "

72

Le docteur éclata de rire et leva la main. Immédiatement tous se retrouvèrent à leur place et la fanfare attaqua l'hymne du régiment. Mais le général, furieux, se mit à hurler : " Qui vous a donné l'ordre de jouer ?... " Et les choses ont pris une telle tournure que là-bas, à Câmpulung, le docteur n'a pas pu rester jusqu'à la fin de la foire.

Farâma se tut et devint tout rêveur.

— Et après ? demanda l'homme. Que s'est-il passé avec Oana ?

— Justement, c'est à cela que je pensais, dit Farâma en se frottant les genoux, l'air embarrassé. Mais comment vous raconter la suite si je ne reviens pas en arrière et si je ne vous parle pas de Lixandru et de Darvari, si je ne vous parle pas, surtout, des nouveaux amis qu'ils avaient rencontrés dans le cabaret de Fanica Tunsu ? C'est une longue histoire et, pour que vous la compreniez, il faut que vous sachiez ce qui est arrivé à Dragomir et à Zamfira...

Le personnage installé au bureau eut un éclat de rire, vite réprimé, puis il appuya sur le bouton.

— C'est bon ! Nous bavarderons une autre fois, dit-il.

La porte s'ouvrit et le jeune homme au visage lumineux réapparut.

— Je vous remercie beaucoup, déclara Farâma, en se levant brusquement et en s'inclinant à plusieurs reprises.

V

Le lendemain Farâma fut informé que son interlocuteur de la veille s'appelait Economu et qu'il était sous-secrétaire d'Etat au ministère de l'Intérieur. Quand Dumitrescu l'accueillit installé à son bureau, il lui dit, l'air plus maussade que d'habitude :

— J'ai encore lu deux cents pages et je n'arrive toujours pas à savoir ce qui est arrivé à Darvari. Lixandru et tous les autres, c'est secondaire. Le camarade sous-secrétaire d'Etat Economu a des faiblesses pour la littérature et le personnage d'Oana le passionne. Celui qui nous intéresse nous, c'est Darvari. Quand vous êtes allé chez Borza, vous comptiez l'interroger sur Lixandru et vous n'aviez pas l'intention de lui parler d'Oana. Revenez donc à Lixandru et à Darvari... Vous disiez, il y a quelques jours, que Lixandru avait commencé d'apprendre à Darvari la langue hébraïque. Quelle idée ! Darvari était entré à l'Ecole militaire. Avait-il besoin d'apprendre l'hébreu ?

— Il n'en avait pas le besoin, répondit Farâma, l'air intimidé. Mais je vous l'ai dit, c'est une longue histoire et tout ce qui s'est passé est en liaison étroite avec Oana.

« Il faut que vous sachiez que Lixandru est parti de Bucarest à l'automne de 1916, lors de la retraite, et quand il est revenu, en 1918, c'était un garçon de seize ou dix-sept ans. Il est entré en troisième au lycée Spiru Haret parce qu'il avait continué ses études par leçons particulières, à Iashi. Un an plus tard, Darvari était entré à l'Ecole militaire de Târgul-Muresh. Or un beau jour, je ne sais plus à la suite de quelles circonstances, Lixandru est allé voir le rabbin de la Calea Moshilor et lui a dit : " Il se peut que vous ne me reconnaissiez pas. Je m'appelle Lixandru. Je suis l'ami de Iozi. Je veux savoir ce qui lui est arrivé et c'est pour cela que je suis venu vous trouver. Si Iozi avait vécu, vous lui auriez appris depuis longtemps la langue hébraïque. Je suis venu vous trouver pour que vous m'appreniez l'hébreu comme vous l'auriez appris à Iozi. " Le rabbin n'a rien répondu mais il l'a contemplé longuement, tout pensif. A la fin, il lui a dit : " C'est entendu, je vous l'apprendrai. Venez chez moi chaque matin, une heure avant d'aller en classe et puis, chaque après-midi, une heure avant le coucher du soleil. " Voilà comment Lixandru s'est mis à apprendre l'hébreu et, en garçon intelligent et appliqué qu'il était, il a réussi en deux ans, au moment de passer son baccalauréat, à posséder assez bien l'hébreu pour traduire n'importe quel livre de l'Ancien Testament comme s'il s'agissait d'un poème étranger qu'il connaissait bien. J'ai oublié de vous dire que Lixandru était d'un tempérament rêveur. Dès l'école primaire il montrait un penchant pour la poésie. Au lycée il ne cessait de lire des poètes. Mais dans ce domaine encore, il avait des goûts bizarres. A seize ans, il lisait Calderon, Camoëns, Sá de Miranda...

— Laissez cela, fit Dumitrescu en l'interrompant. Dites-moi pourquoi Darvari s'est mis dans la tête d'apprendre l'hébreu. Comment donc, ayant tant de matières à son programme de l'Ecole militaire, a-t-il voulu étudier cette langue ? A quoi l'hébreu pouvait bien lui servir ? D'autant plus qu'il voulait se faire aviateur !

— C'est justement cela qui a donné à Lixandru l'idée d'apprendre l'hébreu. Tout a commencé quand Darvari lui a dit qu'il se ferait aviateur. " Alors, il faut que tu viennes avec moi et que nous allions à la recherche de Iozi. Et pour cela il faut que tu apprennes l'hébreu. Tu sais, Iozi n'est pas mort. S'il était mort, on aurait retrouvé son corps. Il doit être quelque part, ici, sous la terre, et nous ne le voyons pas ou plutôt nous ne savons pas le chercher. Mais à la fin je réussirai tout de même, moi... " Et voilà comment il s'est mis à lui apprendre l'hébreu. Il ne lui donnait des leçons que pendant le temps des vacances. Il lui avait acheté une grammaire et un dictionnaire et il le poussait à continuer son apprentissage même quand il était à l'Ecole militaire, à Târgul-Muresh. Mais je ne crois pas que Darvari ait réussi à apprendre beaucoup d'hébreu. Il n'avait pas la mémoire de Lixandru ni son ardeur au travail. Et puis il y avait autre chose. Ces années-là, en 1919-1920, les garçons avaient retrouvé Oana. Ils venaient le samedi soir au cabaret du père Tunsu et ils emmenaient Oana se promener avec eux. Ils n'allaient pas du côté de la ville mais toujours vers la lisière du faubourg où tout le monde connaissait la jeune fille et où eux, les garçons, n'étaient pas gênés qu'on les vît avec elle. Ils traversaient les terrains vagues et parvenaient jusqu'aux cultures, jusqu'au début des champs de blé. Oana marchait au milieu du groupe, ses tresses flottaient sur ses épaules, et elle chantait des chansons que les jeunes gens fredonnaient en sourdine. Les nuits de pleine lune, ils s'arrêtaient sur la bruyère ou au pied des mûriers pour se reposer un peu.

Une fois, Lixandru s'écria : " Oana, j'écrirai avec toi une mythologie nouvelle ! " Il faut dire qu'entre eux tous c'est Lixandru qu'Oana préférait.

— Laissez donc Oana ! fit Dumitrescu. Je vous ai dit que ce qui nous intéresse, nous, c'est d'abord et avant tout le cas Darvari !

— C'est justement sur lui que je voulais vous raconter une histoire, répondit Farâma en souriant, l'air gêné. Sachez que pendant les vacances, surtout celles de l'été 1919 et celles de Pâques, en 1920, Darvari ne manquait aucune des promenades que faisaient Oana, Lixandru et les autres jeunes gens. Ces promenades ont été tellement riches en incidents qu'on s'explique très bien pourquoi Darvari n'a guère réussi à apprendre l'hébreu. Ils avaient tous entre quinze et dix-sept ans et leur grand plaisir était de se promener des heures entières, de rentrer tard et d'aller passer un moment au cabaret du père Tunsu. Ils y venaient parfois très tard, vers deux ou trois heures du matin. Le patron partait se coucher dès qu'il les voyait entrer, et le cabaret devenait alors le domaine d'Oana et des musiciens du petit orchestre s'ils n'étaient pas déjà partis. De temps en temps on voyait un ivrogne s'attarder dans la salle mais il se tenait coi, évitant de faire du scandale. Tous avaient peur d'Oana. Voilà donc comment ces jeunes gens prenaient possession de la taverne pour y passer du bon temps. Ils buvaient mais modérément. Lixandru touchait à peine au vin bien qu'il fût le plus agité d'entre eux et le plus passionné. Il s'installait sur la table, posait sa main sur l'épaule d'Oana, lui caressait les cheveux et récitait ses poèmes préférés, œuvres surtout d'auteurs espagnols. Personne ne comprenait l'espagnol mais tous l'écoutaient, les yeux fixés sur lui. Oana restait rêveuse et comme perdue. Souvent quand Lixandru la réveillait il avait l'impression qu'elle avait pleuré. Et puis voilà qu'une nuit, tard, vers l'aurore, tandis que notre récitant déclamait des vers, la main posée comme d'habitude sur l'épaule d'Oana, un couple est entré dans le cabaret. Le jeune homme avait quelques années de plus que Lixandru et il était habillé avec beaucoup d'élégance. Son visage était très beau mais sombre, et un sourire provocant flottait sur ses lèvres. Il parut un peu déconcerté quand il entendit Lixandru réciter du Calderon, et s'écria : " Mais comment ? Vous n'êtes pas roumain ? " La jeune femme restait les yeux fixés sur Oana. " C'est elle ! cria-t-elle. Elle ! Ma statue ! " Cette femme était d'une incomparable beauté mais elle avait quelque chose de sauvage dans ses attitudes et son vêtement, quelque chose d'excentrique, comme on aurait dit autrefois. Elle se mit tout d'un coup à battre des mains. Elle s'approcha d'Oana comme s'il s'était agi d'une œuvre d'art, puis elle ôta son bracelet et le lui tendit en déclarant : " Humble offrande de la part de Zamfira. " Les garçons ont appris plus tard que ce n'était pas son nom mais qu'elle aimait qu'on l'appelle ainsi. De même elle appelait Dionis son cousin, le jeune homme qui l'accompagnait, bien que son vrai nom fût Dragomir. Ce jeune couple, nous l'avons su par la suite, avait déjà connu bien des épreuves. Leur famille descendait du boyard Calomfir. Pour que vous compreniez bien non seulement quelles furent ces épreuves mais surtout leurs conséquences, il faudrait que vous connaissiez la vie du boyard Calomfir.

— Farâma, dit Dimitrescu en l'interrompant avec rudesse, je vous ai laissé parler pour voir jusqu'à quel point vous vous figurez que vous pouvez tirer sur la corde sans qu'elle se casse. Vous poursuivez un bjectif en nous racontant vos balivernes : vous croyez qu'en nous abreuvant de paroles vous vous tirerez d'affaire plus facilement. Je vous ai dit de vous limiter à Darvari.

— Mais justement c'est à lui que je voulais en venir, dit Farâma sur un ton d'excuse. Tout est parti de cette nuit-là, de la nuit où il a fait la connaissance de Zamfira. Je vous ai dit que la jeune fille qui se donnait ce nom était incomparablement belle. Darvari, en la voyant, est resté pétrifié d'admiration. Il est tombé tout de suite amoureux d'elle. On eût dit qu'elle l'avait ensorcelé. Lixandru demanda poliment mais sur un ton très froid aux deux jeunes gens : " Que désirez-vous ? " Dragomir lui répondit : " Moi je viens boire, mais elle, la belle Zamfira, est venue chercher son modèle. " Lixandru a répliqué : " Nous regrettons mais en ce moment, quand il est trois heures du matin et que Dieu descend sur la terre, nous aimons nous divertir tout seuls. " Mais alors Darvari a fait un geste à Lixandru pour lui demander qu'ils restent, et Zamfira a vu ce geste. Elle s'est approchée de Darvari, lui a pris la main et lui a dit : " Tiens ! Voilà un gentil garçon ! Il nous permet, lui, de rester dans votre cabaret ! " Darvari devint tout pâle de joie et d'émotion. Il s'écria : " Je te dis de les garder, Lixandru ! Ils ont peut-être leurs signes, eux aussi !... " Le nouveau venu déclara alors, en gardant toujours son sourire d'amertume sur les lèvres : " Si vous aimez la bagarre cela m'est bien égal parce que vous savez, à moi tout seul je pourrais tous vous ratatiner. Mais c'est le modèle qui me fait peur. Il faudrait, avec lui, que je me serve de mon revolver et dans ce cas on ne sait pas où la balle va se nicher. Et cela peut faire un scandale. " Oana se mit à rire et s'écria : " Moi, je n'ai pas peur des balles, mon cher ! Le plomb ne peut pas m'atteindre. — Mais il ne s'agit pas de balles de plomb, répliqua le jeune homme. On entend une détonation et il y a cinq sortes d'encre... " Il sortit son revolver de sa poche et le leur montra. On eût dit un browning, mais l'arme était munie, en guise de cartouches, de capsules puissantes, pour la détonation ; à leur extrémité on voyait des billes remplies d'un liquide coloré. " Je viens de le recevoir de Londres, ajouta Dragomir. Il peut servir pour des duels mondains, même dans un salon. Il tire des balles de cinq couleurs... "

Juste à cet instant le téléphone sonna et Dumitrescu tendit la main pour prendre le récepteur. Dès les premières paroles qu'il entendit, il devint tout rouge.

— Oui, il est chez moi, dit-il... Oui, nous allons faire comme vous disiez... J'ai compris... et il reposa le récepteur sur son support.

— Cela suffit pour aujourd'hui, dit-il à Farâma.

Il semblait préoccupé et Farâma éprouva soudain une grande sympathie pour lui.

— D'autres personnes vont vous interroger. Il est de votre intérêt de ne plus parler de Borza. Limitez-vous à Lixandru et à Darvari. Ce Borza n'a jamais été votre élève rue Mân-tuleasa. Il n'est jamais allé à l'école, pas même à l'école primaire. On a découvert qu'il a vécu longtemps comme un chenapan dans le quartier des Tilleuls et qu'il est devenu agent de la Sécurité. Mais il s'est introduit en fraude dans le Parti. Je crois que vous m'avez compris, ajouta-t-il en appuyant sur le bouton.

— J'ai compris et je vous remercie beaucoup, dit Farâma en se levant brusquement et en saluant avec respect.

VI

Cette semaine-là le commissaire Dumitrescu ne convoqua pas Farâma pour l'interrogatoire, ce qui n'empêcha pas le prisonnier d'écrire sans cesse. Le gardien venait régulièrement prendre les feuilles remplies et il lui en apportait d'autres. Un matin il entra en souriant dans la pièce et dit :

— Venez, venez dehors ! Vous allez avoir une surprise...

Farâma posa son porte-plume sur le buvard, ferma la bouteille d'encre et se leva. Dans le couloir, près de la porte, l'attendait un jeune homme habillé de manière élégante.

— Vous êtes Zaharia Farâma ? lui demanda-t-il.

— Oui. C'est moi.

— Venez...

Ils descendirent dans la cour, la traversèrent et pénétrèrent dans un autre corps de bâtiment. Ils prirent un ascenseur et Farâma observa que le jeune homme le regardait avec curiosité en souriant toujours.

— Je suis moi aussi écrivain, lui dit-il quand l'ascenseur s'arrêta. Vos souvenirs m'intéressent beaucoup.

Ils parcoururent quelques corridors puis le jeune homme arrêta Farâma devant une porte massive, frappa, et lui fit signe d'entrer. Farâma s'avança, les épaules courbées, comme d'habitude, et la tête légèrement penchée, mais quand il aperçut la femme qui le regardait de l'autre côté du bureau, un sourire vaniteux sur les lèvres, il sentit ses jambes se mettre à trembler.

— Vous me reconnaissez ? demanda-t-elle.

— Mais bien sûr ! dit Farâma en s'inclinant respectueusement. Vous êtes madame le ministre Anca Vogel.

— La camarade ministre, rectifia-t-elle.

— La redoutable Anca Vogel, ajouta Farâma en essayant de sourire. C'est ainsi qu'on vous appelle, la redoutable combattante...

— Je sais, fit-elle en haussant les épaules. Mais je n'ai pas encore compris pourquoi les gens ont peur de moi. Je suis bonne comme du bon pain. Je ne suis méchante qu'avec mes ennemis et encore pas toujours...

Farâma osa alors la regarder en face et non sans admiration. Elle lui paraissait dure, bien plus qu'il n'aurait cru à voir sa photographie

86

dans les journaux. C'était une femme d'une cinquantaine d'années, immense, au visage trop large, coupé de rides profondes, à la bouche énorme, au cou ramassé et gras. Elle portait ses cheveux gris coupés très courts à la façon d'un garçon. Elle fumait. Elle tendit à Farâma par-dessus le bureau un paquet de Lucky Strike.

— Vous fumez ? lui demanda-t-elle. Asseyez-vous et prenez une cigarette.

Farâma s'inclina de nouveau et s'installa dans un fauteuil. Non sans hésitation il prit le paquet de Lucky Strike.

— Vous avez un briquet à côté de vous, lui dit Anca Vogel. Vous ne soupçonnez pas pourquoi je vous ai convoqué, reprit-elle en le regardant droit dans les yeux et en souriant. J'ai lu quelques dizaines de pages de votre déclaration. Je n'ai pas pu aller plus loin parce que vous êtes terriblement prolixe et que je n'ai pas le temps. Mais ce que vous avez écrit m'a plu. Si vous pouviez vous dominer et contrôler le torrent de vos souvenirs vous deviendriez un grand écrivain. Mais voilà ! vous ne savez pas vous maîtriser. Vous perdez le fil et vous vous embourbez. J'ai demandé qu'on me fasse un extrait de tous les passages où vous parlez d'Oana. Je veux connaître son histoire, du début jusqu'à la fin, mais je n'ai pas encore réussi à comprendre ce qui lui est arrivé. Vous êtes prolixe...

— Vous avez peut-être raison, répondit Farâma en baissant la tête. Je ne suis pas écrivain et je ne sais même pas comment toutes ces choses viennent sous ma plume. Mais l'histoire d'Oana, vous ne pouvez pas la comprendre pour la bonne raison que cette Oana n'était pas seule au monde. Elle était la fille de Fanica Tunsu et, surtout, elle était la petite-fille du garde forestier. Tout ce qui lui est arrivé est la suite, la conséquence, le résultat, du fait que le garde a trahi l'engagement qu'il avait conclu avec le fils aîné du pacha de Silistrie...

— Vous me raconterez tout cela une autre fois, lui dit Anca Vogel en l'interrompant. Pour le moment je voudrais savoir ce qu'elle est devenue après la fin de la guerre. Quand donc est-elle partie pour la montagne ? Quand cela s'est-il passé ?

— Pendant l'été de 1920.

— Vous l'avez revue à ce moment-là ? Comment était-elle ?

— Elle était comme une statue. Elle avait dix-huit ans et elle atteignait deux mètres quarante.

— Et elle était belle ?

— Oui, belle comme une déesse. Une Vénus. Sa chevelure d'un blond roux tombait sur ses épaules. Elle allait toujours les épaules nues.

Elle avait une poitrine bien formée et dure comme du marbre. On ne pouvait détacher d'elle son regard. Son visage était souriant et doux, comme celui d'une divinité bienfaisante. Elle avait des lèvres charnues, couleur de sang, et ses yeux noirs, brûlants, vous donnaient le frisson. Mais tout cela pour rien. Je vous l'ai dit, elle mesurait deux mètres quarante. On n'osait pas s'approcher d'elle. Tout habillée elle faisait peur. Sans vêtement, toute nue, on se serait habitué à la voir. On se serait dit qu'elle était taillée dans le marbre, comme une déesse, immense, immense...

— C'est bon. Continuez ! Racontez ! fit Anca Vogel en allumant une autre cigarette.

— Un beau jour elle est allée trouver son père et lui a dit : " Maintenant le moment approche. Je pars pour la montagne. C'est de là-haut que va venir mon mari... " Et elle est partie. Elle a pris le train. Mais on l'a fait descendre à Ploieshti parce que des soldats l'avaient prise à partie et qu'elle les avait rossés tous, pour leur plus grande honte. Cette fille avait une force herculéenne plus terrifiante encore qu'on n'aurait cru chez une géante comme elle était, un colosse de deux mètres cinquante ou presque... Je dis qu'elle leur a fait honte parce qu'elle leur a ôté leurs pantalons et les a rossés l'un après l'autre du plat de la main comme des enfants. Du coup on l'a fait descendre à Ploieshti. Elle s'est en allée à pied, de village en village, en chantant, sa besace sur l'épaule et, au bout d'une semaine, même pas, elle est arrivée aux Carpates. Elle s'arrêtait dans les auberges, elle s'achetait de quoi manger — elle avait assez d'argent, son père lui avait donné une jolie somme — et puis elle repartait en chantant. Elle se baignait dans les rivières. Elle enlevait sa robe et elle entrait toute nue dans l'eau, sans la moindre gêne, en plein midi. Les gamins lui lançaient des pierres dans les rues des villages, excitaient les chiens après elle, mais Oana s'en moquait. Elle continuait de chanter et se dirigeait vers la montagne. On avait beau lancer contre elle des molosses. Dès qu'elle se retournait et leur faisait un signe en leur criant « Coutsou ! Coutsou ! », les bêtes se calmaient, s'approchaient d'elle en frétillant, bondissaient avec amitié sur elle. On eût dit qu'elles la connaissaient depuis toujours. Le cinquième soir après son départ, elle est arrivée à une bergerie, au bas de la Roche du Roi. Les bergers sont restés pétrifiés quand ils l'ont vue s'approcher, les pieds nus, la besace sur l'épaule et chantant toujours. Ils ont excité leurs chiens contre elle mais Oana est entrée dans la bergerie entourée de tous ces chiens qui se frottaient contre ses jambes. Elle s'est approchée du maître berger et lui a dit : " Accorde-moi bon accueil. Je travaillerai pour toi gratuitement. Demande-moi de faire n'importe quoi. J'attends mon mari. Il doit venir ici, dans ces parages. " Au début, le maître berger n'a pas voulu. Il disait qu'il n'avait pas besoin d'une géante. Oana a dû passer la nuit non loin de là, au bord d'un ravin. Le lendemain elle est revenue à la bergerie et elle s'est mise à tout nettoyer. Le maître berger a fait semblant de ne pas la voir et il l'a laissée travailler. Le soir, quand les bergers sont rentrés avec leurs brebis elle les a tous invités à lutter avec elle, eux debout et elle à genoux. L'un après l'autre elle les a renversés et leur a fait toucher le sol de leurs deux épaules. Pendant la semaine qui a suivi, le bruit s'est répandu dans les montagnes des environs qu'Oana était là. Les bergers descendaient des autres bergeries et se signaient, ébahis, en la voyant. Le soir, Oana se rendait au torrent et se baignait, toute nue. Les bergers la contemplaient de loin sans pouvoir se rassasier du spectacle. Oana les avait tellement enflammés que l'un après l'autre ils prenaient leur courage à deux mains et, la nuit, s'approchaient de l'abri où elle dormait et essayaient de la cajoler mais elle les faisait rouler d'une bourrade l'un après l'autre sur la pente et se rendormait. Une fois cinq gaillards se sont mis d'accord pour la réduire à leur merci. Ils se sont jetés sur elle pendant

91

son sommeil et ils lui ont empoigné les bras et les jambes. Dès qu'Oana a été bien réveillée elle a tendu ses muscles et d'un coup de reins s'est redressée. Elle les a tous rossés et ils se sont enfuis en poussant des cris de douleur.

— Une femme terrible, dit Anca Vogel avec un sourire.

— Terrible, répéta Farâma en hochant la tête. A partir de cette nuit-là ils n'ont plus osé s'approcher d'elle. Ils se contentaient de la guetter et, quand ils la voyaient partir vers le torrent, ils la suivaient. Puis ils la contemplaient, tout embrasés... Les nuits de pleine lune, Oana se promenait entièrement nue, les cheveux abandonnés sur ses épaules et elle dansait, bondissait, chantait. Parfois elle joignait ses mains et priait, mais les bergers n'entendaient guère ce qu'elle disait. Une fois, cependant, le vieux maître berger, qui l'avait suivie avec les autres, réussit à se faufiler près d'elle mais dès qu'il l'entendit il fit un signe de croix, terrorisé. " Mariez-moi, Grande Dame ! disait Oana en tendant ses bras vers la lune. Trouvez-moi un mari à ma mesure ! J'en ai assez de rester vierge ! Le bon Dieu m'a fait grand tort en me créant pour m'oublier ensuite ! Mais vous, Grande Dame, Votre Sainteté la Lune, vous tournez en rond, là-haut, dans le ciel, et vous voyez tout, de loin comme de près. Cherchez bien et trouvez-moi un mari !

Faites venir à moi un homme comme il faut et je le prendrai pour époux, en mariage... " C'est cette nuit-là que le maître berger a pris sa décision. Il a attendu que la lune soit à son dernier quartier. Ainsi Oana n'irait pas se baigner, la nuit étant trop obscure. Et un beau soir il est allé la trouver. " Oana ! " lui a-t-il crié de loin. La jeune fille s'est levée et s'est approchée de lui. Elle marchait en titubant, comme endormie encore. Brusquement l'homme l'a frappée au cou avec un nerf de bœuf et elle s'est effondrée, sans forces, à ses pieds. Il l'a tirée par les bras jusqu'à sa couche et là il l'a violée. Ensuite il est allé à la bergerie et il a crié : " Venez donc ! " Tous les bergers sont sortis et l'un après l'autre ils ont abusé d'elle. Le matin, Oana s'est réveillée et s'en est allée, un peu hébétée, vers le torrent. Elle s'est baignée. Ensuite elle est venue dire au maître berger : " Je vous remercie, patron ! Cette mésaventure me servira de leçon... " Et elle s'est mise à rire...

— Quelle femme terrible ! dit Anca Vogel.

— Terrible. A partir de ce moment-là, les choses ont bien mal tourné pour le maître berger. En effet, dès la nuit suivante, Oana s'est mise à les convoquer, l'un après l'autre, sur sa couche, et elle les éreintait tous, jusqu'au matin. Pendant le jour les hommes tombaient de sommeil, ils ne pensaient qu'au moment où ils sortiraient de la bergerie pour aller la rejoindre, et leurs moutons n'étaient gardés que par les chiens. Bien mieux, Oana partait à leur recherche, dans la montagne, et dès qu'elle en trouvait un, étendu de tout son long à l'ombre d'un arbre, elle le réveillait et se donnait à lui. Les bergers commençaient à rechigner la nuit, mais elle ne les laissait pas en paix. Elle les connaissait bien et ne voulait en épargner aucun. " Qui es-tu, toi ? demandait-elle dans le noir au berger qui voulait la quitter et s'en aller dormir à la bergerie. — Moi, je m'appelle Dumitru, répondait-il. — Bien. Mais Petru je ne l'ai pas vu, ce soir. — Il est un peu malade. — Promets-moi d'aller le chercher, sinon je ne te laisse pas tranquille et je te garde jusqu'au matin. " Dumitru regagnait la bergerie : " Lève-toi, mon vieux ! disait-il à Petru. Si tu n'y vas pas, Oana va s'acharner sur moi et j'en crèverai. — Je suis un peu fatigué. Envoie Marin. — Marin y était tout à l'heure. Vas-y toi. Tu as eu le temps de te reposer. " Et voilà comment cela se passait.

« Au bout de deux semaines, Oana les avait tous épuisés. Maintenant, ils l'évitaient, se cachaient dans les ravins et les escarpements afin de lui échapper et de pouvoir dormir. Le soir, ils n'allaient à la bergerie que pour y mener leurs troupeaux. A plusieurs reprises Oana était venue, la nuit, trouver le maître berger mais bien vite il avait été pris, lui aussi, de panique. Il ne dormait plus qu'avec son nerf de bœuf à côté de lui. " Hé ! la fille ! Ne t'approche pas ! lui criait-il. Je suis un homme âgé et je veux revoir mes enfants. Je veux mourir au village et que ce soit eux qui m'enterrent. Ne t'approche pas, sinon je cogne ! " Et Oana, saisie de pitié, l'épargnait. Elle s'en allait la nuit, à travers la montagne, pour dénicher les autres, les bergers. Bientôt, sur toutes les montagnes des environs, le bruit se répandit du comportement d'Oana et les bergers venaient, et Oana les exténuait sur sa couche, et le matin ils n'arrivaient plus à rejoindre leur bergerie. Ils tombaient de sommeil et s'étendaient pour dormir, n'importe où. Les moutons, laissés à la garde des chiens, se dispersaient, s'égaraient, glissaient sur les pentes abruptes, bêlaient de peur, se sentant abandonnés. On n'entendait plus sur les montagnes que les chiens hurlant éperdument et les moutons blessés qui gémissaient et se laissaient tomber au fond des ravins pour y mourir. On apprit tous ces événements dans les villages de la vallée, et les notables montèrent là-haut accompagnés par des fiers-à-bras, mais Oana les accueillait l'un après l'autre et les éreintait. Ils redescendaient le lendemain ou le surlendemain, exténués, épuisés. Certains même ne rentraient pas dans leur village mais s'arrêtaient au bord du chemin et dormaient tout le jour et la nuit suivante. On eût dit qu'ils sortaient d'une grave maladie. Les femmes commençaient à prendre peur, et beaucoup se figuraient qu'elles avaient perdu pour tout de bon leur mari, tant Oana les avait rendus impuissants après les avoir épuisés quelques jours et quelques nuits là-haut, sur la montagne, dans son gîte.

« Les épouses ont alors décidé de lui jeter des sorts, de l'abrutir et une fois hébétée de la battre, de l'écraser sous leurs pieds, de la torturer. Une cinquantaine de femmes sont montées de tous les villages de la vallée et quand elles l'ont aperçue, belle et toute nue qui se baignait dans une source et qui cherchait des yeux, entre les rochers et les hautes herbes, un homme qui n'avait pas encore passé entre ses bras, elles s'arrêtèrent pétrifiées et se signèrent. Oana s'avança à leur rencontre, nue comme elle était, avec simplement sa chevelure, qu'elle avait très longue, ramenée sur sa poitrine et elle leur demanda : " Que voulez-vous, mesdames ? " Une d'entre elles sortit du groupe et lui dit : " Nous sommes venues vous jeter des sorts, mademoiselle, pour que vous laissiez nos maris en paix, mais à présent que nous vous avons vue, nous comprenons que cela ne servirait à rien de vous jeter des sorts. Vous n'êtes pas comme nous, pauvres femmes et simples créatures du bon Dieu. Vous êtes d'une race de géants. Probablement vous descendez de juifs géants qui ont supplicié Notre-Seigneur Jésus-Christ. Ils étaient assez grands et vigoureux pour pouvoir le supplicier même lui, le Fils de Dieu. Si c'est bien cela, à quoi bon vous jeter des sorts ? Ils n'auraient pas de résultat. Nous vous prions cependant de laisser nos maris en paix. Eux, les pauvres, ne sont pas pour vous. Ils sont tout juste assez bons pour nous, braves femmes qui vivons dans la crainte de Dieu. Repartez là d'où vous êtes venue, cherchez là-bas un mari de votre sorte. Dans le pays où vous êtes née, il doit bien y avoir un fils de géant, un garçon que vous épouserez et avec qui vous vous entendrez bien !... — Moi, mesdames, leur répondit Oana, si je suis venue à la montagne je l'ai fait de propos bien délibéré. Il est écrit dans mon destin que je cherche mon mari ici et on m'a dit comment je le reconnaîtrais. Il descendra un jour à ma rencontre, à cheval sur deux chevaux à la fois... Et si le maître berger ne m'avait pas assommée avec un nerf de bœuf en travers du cou je n'aurais pas connu d'homme encore, parce que de tous les bergers qui ont voulu m'étreindre aucun n'a réussi à me renverser par terre. Mais c'est par surprise que j'ai été violée. Alors, ce n'est pas ma faute si maintenant je veux tous les séduire et les connaître.

Je ne suis pas de bois, moi non plus !... — Dis donc, la fille, cria une des femmes, un homme à cheval sur deux chevaux, il n'y en a pas dans le pays ! Toi, si tu es d'une race de géants tu ferais mieux de chercher un dragon du ciel. Promène-toi sur les collines, toute nue comme tu es, et tu verras surgir un de ces dragons près de toi et vous ferez la paire... " Oana la regarda longuement et sourit. " Merci beaucoup, madame ! les paroles que vous m'avez dites me serviront de leçon. "

« Voilà comment Oana est partie, dès le lendemain, vers un village de la vallée. Elle a mis le semblant de robe qui lui restait encore, elle a passé sur son épaule la courroie de sa besace, a remercié le maître berger et s'en est allée, accompagnée longtemps par une meute de chiens. Vers le soir, à quelque distance du premier village, elle aperçut de loin, debout sur un tertre, un énorme taureau. Le taureau l'aperçut aussi, tourna la tête dans sa direction et courba son encolure comme s'il se préparait à foncer. C'était une bête immense, inouïe. Un formidable taureau. Comme dans les légendes, ajouta Farâma et il toussa, l'air gêné.

— Prenez une cigarette, lui dit Anca Vogel.

— Je vous remercie beaucoup, fit-il en s'inclinant à plusieurs reprises.

Il alluma sa cigarette et, après avoir aspiré la première bouffée, il eut un sourire.

— Et voilà comment cela s'est passé... A partir de ce soir-là le taureau n'a plus voulu se séparer d'elle. Il la suivait comme son ombre et ne laissait personne l'approcher. C'était vers la fin juillet et cet été-là fut extraordinairement chaud. Oana ôta la robe en lambeaux qu'elle portait et elle resta toute nue, le jour et la nuit. Les nuits de pleine lune, le taureau mugissait au point qu'on l'entendait dans les sept vallées d'alentour et les gens se réveillaient, terrorisés. Ils sortaient de chez eux et ils apercevaient Oana courant toute nue sur les collines, sa chevelure flottant sur ses épaules, le taureau trottant derrière elle. Ils la voyaient s'arrêter brusquement, courber un peu le dos, et ils l'entendaient pousser un cri rauque parce que le taureau la pénétrait. Tous deux restaient unis, comme cela, longtemps, le taureau grimpé sur son échine, mugissant et faisant jaillir des étincelles sous ses sabots...

— Une femme terrible ! s'écria Anca Vogel.

— Inouïe ! dit Farâma. Mais très vite, dans tous les villages des environs, le bruit se répandit de ce comportement d'Oana. Et même à Bucarest. A son tour le garde forestier en fut informé. Il fit alors le signe de la croix et s'écria : " Merci, mon Dieu, de m'avoir permis de vivre assez longtemps pour voir s'accomplir la malédiction de Selim ! " Ensuite il est allé dans un monastère, il s'est confessé, il a communié et il a dit : " Maintenant, bien que je sois un vieillard, puisse le Seigneur m'aider à trouver une jeune épouse afin que j'aie une autre descendance puisque je n'ai plus peur de la malédiction ! " Il avait cent ans mais il était encore vigoureux. A l'automne de cette année-là il s'est marié avec une veuve d'une trentaine d'années. Mais le Seigneur ne lui a pas fait la grâce d'avoir un enfant. Cette veuve, Floarca, était de Tsiganeshti. Elle avait, elle aussi, toute une histoire...

— Laissez de côté cette veuve, dit Anca Vogel en l'interrompant. Racontez-moi ce qui est arrivé ensuite à Oana.

— Les autorités ont été mises au courant et la légion de gendarmerie a envoyé des patrouilles sur toutes les collines. Les paysans sont sortis de chez eux avec des fourches, des gourdins, avec tout ce qui leur est tombé sous la main et, un matin, à l'aurore, ils les ont trouvés, cachés dans une ravine où Oana avait installé une litière. Le taureau s'est élancé pour les embrocher avec ses cornes, pour les piétiner, mais les gendarmes ont tiré sur lui et l'ont abattu. Oana n'a rien dit. Elle s'est couverte avec ce qui lui restait de robe, elle a pris sa besace, et quand les gendarmes ont voulu lui mettre les menottes elle leur a dit : " Ne m'attachez pas. Je vous suis. " Et elle est descendue, encadrée par eux. Les paysans la conspuaient mais elle marchait, droite et fière, en souriant, la tête haute, les yeux tournés vers le levant, comme si elle attendait le soleil. Les gens la huaient, criaient qu'elle était une catin, une criminelle. Elle, de temps en temps, leur répondait : " Ce n'est pas ma faute. C'est ce que m'ont conseillé vos femmes. "

« Le soleil était déjà haut dans le ciel quand ils arrivèrent au village, où les attendaient le maire et le capitaine de gendarmerie. Mais les autorités n'eurent pas le temps de prendre livraison d'elle. Oana tout d'un coup se figea, les yeux braqués au-dessus de la route. Un être phénoménal venait de faire son apparition, une splendeur d'homme, tout jeune, blond, à cheval sur deux chevaux. Oana se précipita à sa rencontre, tomba à genoux devant lui, dans la poussière, saisit de ses deux mains les deux chevaux par le licou et les arrêta. Les gendarmes coururent après elle mais le jeune homme descendit de cheval, d'un bond, et releva la jeune fille. Quand les gendarmes virent sa corpulence et sa taille, ils s'écartèrent à toute vitesse. Il dépassait Oana d'une bonne main. Il portait une petite barbe d'un blond très clair et il était curieusement habillé, moitié à la paysanne, moitié en costume de ville. Il prit Oana par la main et s'approcha des autorités. " Je suis le docteur Cornelius Tarvastu, déclara-t-il en roumain et je suis professeur de langues romanes à l'université de Dorpat. Je suis venu étudier le langage des habitants des Carpates. J'ai entendu parler d'Oana là-haut, dans une bergerie, et je suis descendu pour l'emmener avec moi. Si vous n'y voyez pas d'inconvénient, je la prends immédiatement pour femme... "

« Oana était là, immobile près de lui et elle pleurait. Les gens ne savaient que faire. Personne n'osait prendre la parole. Cependant le maire s'est avancé et a dit : " Bonne chance, monsieur le professeur, mais ne célébrez pas chez nous votre noce ! — Naturellement ! C'est pour cela que je suis venu avec deux chevaux. Nous pourrons partir loin d'ici. " Mais ils ne sont pas montés à cheval, ajouta Farâma en souriant. Chacun aurait écrasé sa bête. Ils sont partis à pied, en se tenant par la main et les chevaux les suivaient au pas.

— Quelle femme terrible, dit Anca Vogel toute rêveuse. Et ils ont quitté le pays ?

— Pas tout de suite. Oana a d'abord mené le jeune homme à Obor pour qu'il fît connaissance avec son père, le cabaretier, et ils sont allés se marier au monastère de l'Oiseau. Mais si Oana l'avait fait venir à Bucarest, c'était surtout pour le présenter aux garçons. Elle s'était liée avec les nouveaux amis de Lixandru, et tout ce qui s'est passé par la suite est parti de là. Pourquoi ? Parce qu'il y avait

102

parmi les nouveaux amis de Lixandru, le jeune Dragomir Calomfirescu, un curieux garçon lui aussi...

— C'est bon. Vous me raconterez tout cela une autre fois. Prenez avec vous le paquet de cigarettes, dit-elle en appuyant sur un bouton. Et si vous désirez quelque chose, n'hésitez pas, dites-le-moi...

— J'aurais une requête..., commença Farâma, timidement. Qu'on me permette de faire venir de la maison des vêtements plus épais. Il fait un peu froid...

— Entendu, fit Anca Vogel en griffonnant quelques lignes sur le bloc-notes qui se trouvait devant elle. Donnez ceci au gardien...

— Je vous remercie beaucoup, dit Farâma en se levant brusquement de son fauteuil. Je vous remercie aussi pour les cigarettes...

VII

Pendant deux semaines environ il ne fut plus convoqué pour l'interrogatoire. Le lendemain de sa visite à Anca Vogel il avait reçu de chez lui des vêtements usagés mais plus chauds. La pluie était tombée ces derniers jours et le ciel était encore à demi couvert. Assis devant sa table, penché sur ses feuilles de papier, Farâma écrivait sans cesse, mais moins vite et moins abondamment qu'au début. Parfois, il restait des heures entières, le front dans ses mains, cherchant à se rappeler s'il avait déjà relaté par écrit tel ou tel événement ou s'il s'était contenté de le raconter au cours des nombreux interrogatoires auxquels l'avait soumis Dumitrescu. Comme il ne réussissait pas toujours à se souvenir, il rédigeait à nouveau l'épisode.

Une nuit, vers onze heures, il fut réveillé par le gardien.

— Habillez-vous, lui dit-il sur un ton beaucoup plus respectueux que d'habitude. Habillez-vous le plus vite possible.

Tout somnolent, Farâma s'habilla, non sans quelque difficulté parce que ses mains tremblaient.

— Le froid est venu d'un seul coup, dit-il, comme s'il voulait s'excuser, et il cherchait à atteindre le regard de l'homme.

— Je ne devrais pas vous le dire, murmura le gardien, mais il y a une auto qui vous attend. Dépêchez-vous...

Farâma se mit à trembler de tous ses membres. Il ne se tranquillisa qu'au moment où il descendit dans la rue, encadré par des gardiens, et qu'il aperçut la voiture. " Il ne m'arrivera rien de grave ", se dit-il. Deux agents en civil montèrent avec lui dans l'auto, sans prononcer une parole.

— L'automne est là, murmura-t-il au bout d'un moment, comme s'il parlait pour lui seul et sans oser lever ses regards sur les agents. Le froid est venu tout d'un coup. On dirait qu'il a neigé sur les montagnes...

Pour toute réponse l'agent assis à sa droite lui tendit un paquet de cigarettes. Puis il lui dit :

— Prenez-en une. Cela vous réchauffera peut-être.

— Je vous remercie beaucoup, dit Farâma en inclinant la tête à plusieurs reprises, selon son habitude. Pour tout vous dire je m'étais endormi dans ma cellule et je rêvais. Je ne me rappelle pas mon rêve mais le gardien m'a réveillé brusquement et j'ai été saisi par le froid. C'est ce qui a dû m'arriver : j'ai sauté brusquement de mon lit et le froid m'a pénétré.

Ensuite il sourit, comme apaisé, et alluma sa cigarette. Au bout d'une dizaine de minutes la voiture fut arrêtée par un cordon de miliciens armés de fusils mitrailleurs et quelques-uns d'entre eux s'approchèrent du chauffeur. L'un des agents passa rapidement la tête par la portière et murmura quelques paroles que Farâma ne put discerner. La machine repartit, lentement. On voyait sans cesse des groupes de miliciens en armes qui montaient la garde devant des villas. Farâma comprit qu'il se trouvait dans le quartier réservé à la hiérarchie du Parti et il se mit de nouveau à trembler. Il tremblait encore en descendant de l'auto et les agents le conduisirent devant une porte encadrée par deux guérites de miliciens. Toute la rue était puissamment illuminée. L'un des agents s'approcha de la porte, sonna, prononça ensuite quelques paroles et enfin cette porte s'ouvrit, leur livrant passage.

Quelques miliciens attendaient dans le hall. Quelqu'un, que Farâma n'avait pas encore vu parce qu'il se tenait derrière les miliciens, assis sur une chaise, s'approcha rapidement de lui et se mit à tâter ses vêtements. Ensuite, sans dire un mot, il lui fit signe de le suivre. Il le conduisit dans une pièce spacieuse et vivement éclairée, puis, par un escalier intérieur, ils gagnèrent une sorte de loggia. Là son guide lui fit signe de ne pas bouger et heurta une porte à petits coups brefs. Une voix de femme répondit : « Entrez ! » L'homme prit Farâma par le bras et, ouvrant la porte, le poussa à l'intérieur de la pièce.

— Bonsoir ! lui dit Anca Vogel en levant les yeux de la liasse de documents qu'elle avait devant elle. Approchez et asseyez-vous.

Farâma s'avança, tout ému, et une fois arrivé devant le bureau il s'inclina.

— Asseyez-vous et allumez une cigarette, lui dit-elle.

La pièce était garnie de bibliothèques élégantes. Sur le bureau il y avait plusieurs paquets de Lucky Strike, quelques cendriers et un grand vase de fleurs. A côté, sur un guéridon bas, deux bouteilles de champagne, deux verres et un compotier plein de fruits.

— Je vous ai fait venir ici, poursuivit Anca Vogel, parce qu'au ministère je n'ai pas assez de temps pour vous écouter. Là-bas, j'ai des choses plus sérieuses à faire, ajouta-t-elle en souriant. J'aurais aimé que certains de nos écrivains puissent aussi vous entendre mais cela viendra plus tard, peut-être. Pour l'instant buvez donc un verre de champagne. Cela vous remettra...

Elle prit la bouteille et remplit un verre.

— Je vous remercie beaucoup, dit Farâma. — Il se leva brusquement pour prendre le verre et, le tenant à la main, il s'inclina à plusieurs reprises. — D'après ce que je vois, c'est de la Veuve Clicquot et je n'en ai plus jamais bu, depuis la guerre. Je me souviens de ce que disait le docteur : " Monsieur Zaharia, toutes les fois que vous verrez ou que vous boirez du champagne Veuve Clicquot, sachez que ce champagne-là peut changer le destin d'un homme !... " Je savais à quoi il faisait allusion, ajouta Farâma en s'installant à nouveau dans le fauteuil et en posant le verre sur le bord du bureau. Je le devinais plutôt que je ne le savais mais on peut dire que je le savais tout de même parce que j'avais deviné tout ce que le garde forestier ne m'avait pas dit. Voici ce qui lui est arrivé, au docteur : sa mère était une Grecque de Smyrne et son père avait un domaine dans le Baragan, près de Dor-Marunt. Sa mère tenait absolument à le marier avec une Grecque, une nièce qu'elle avait, nommée Calliopi et qui était aussi de Smyrne. Dans ce dessein elle l'envoyait chaque hiver, pour Noël, à Smyrne afin qu'il connaisse bien sa future belle-famille. Le docteur, d'après ce que j'ai compris, s'était en effet amouraché de Calliopi et la date des fiançailles avait même été fixée. L'on n'attendait plus que l'arrivée des parents, qui devaient venir de Roumanie. Mais au bout du compte, seule la maman est venue, la Grecque, parce que le père ne s'était pas résigné à quitter Monte-Carlo. Pour le soir des fiançailles, le docteur, qui avait près de trente ans et qui avait beaucoup roulé de par le monde, avait commandé de la Veuve Clicquot. Or un personnage se trouvait là, par hasard, un ami assez âgé des parents de Calliopi, je ne sais pas si c'était un Grec ou un Arménien, ou s'il était d'un autre pays, en tout cas c'était un homme doué de pouvoirs extraordinaires et qui s'amusait, dans les salons, à faire toutes sortes de farces et de tours de prestidigitation. Quand l'assistance se mit à trinquer, ce vieillard s'approcha du docteur et lui demanda : " Pourquoi ne vous a-t-on pas donné, à vous, du champagne rosé ? " Le docteur regarda son verre, les autres le regardèrent aussi et c'était vrai : il avait du champagne doré comme sont tous les autres champagnes. La famille de Calliopi, qui connaissait bien le vieillard, n'a rien dit. Le docteur réclama un autre verre qu'on lui remplit immédiatement — mais son champagne était toujours jaune d'or. Comme les gens de la maison le voyaient tout pensif et même chagrin, ils se mirent à éclater de rire et lui avouèrent : " C'est une farce de notre ami ! C'est un grand illusionniste ! " Quand le docteur regarda de nouveau son verre, il était plein de champagne rosé ! " Mais comment avez-vous fait ? demanda-t-il au vieil homme, avec une intense curiosité. — C'est toute une histoire et qui réclame beaucoup de science et beaucoup de réflexion, répondit l'autre. — Je veux absolument apprendre à en faire autant, dit le docteur avec insistance. — A présent c'est trop tard, répliqua le bonhomme sur un ton mi-plaisant mi-sérieux. Demain ou après-demain vous vous marierez et vous n'aurez plus le loisir de faire autre chose que de caresser votre épouse. — Pas du tout ! répondit le docteur. Renversons plutôt l'ordre des choses. D'abord vous m'apprenez, ensuite je me marie. Calliopi et moi nous sommes jeunes et nous pouvons attendre. N'est-ce pas, Calliopi ? " fit-il en se tournant vers sa fiancée. Mais Calliopi éclata en sanglots et s'enfuit du salon. Sa mère intervint auprès du docteur et tous les autres ensuite, mais lui ne voulait pas en démordre : d'abord apprenez-moi comment on change la couleur du champagne et après je me marie...

« Et voilà comment il n'a pas épousé Calliopi bien que sa mère pendant longtemps eût gardé un espoir, surtout après que le vieillard, obligé par toute la famille, se fut mis à donner des leçons au docteur. Il apprenait avec une étonnante rapidité tous les trucs de prestidigitateur et d'illusionniste que l'autre lui enseignait, mais Calliopi avait déclaré qu'elle ne l'attendrait pas plus d'une année. Lui, de son côté, demanda encore un an de délai et peut-être aurait-il fini par l'épouser si le hasard n'avait pas voulu que Calliopi tombât amoureuse d'un autre de ses cousins qui venait juste d'arriver de Grèce, et que le docteur rencontrât un marin hollandais qui naviguait sur les lignes de l'Extrême-Orient et qui l'embarqua sur son vapeur. Reste que, dans toute cette affaire-là, c'est la pauvre Calliopi qui a le plus souffert, étant donné que son mari est devenu plus tard l'homme de confiance d'un grand armateur nommé Léonidas qui lui aussi avait toute une histoire...

— Farâma, dit Anca Vogel en l'interrompant, buvez votre champagne. Il se réchauffe !

Farâma inclina respectueusement la tête et vida son verre d'un trait. Puis il se leva, salua plusieurs fois, remit le verre sur le plateau et se rassit, tout intimidé.

— Et maintenant, avant de vous laisser à nouveau la parole, je voudrais vous dire, reprit Anca Vogel, que si j'aime écouter toutes vos histoires, je voudrais surtout savoir ce qu'est

111

devenue Oana, et puis son mari, le professeur estonien, et aussi Lixandru...

— C'est justement là que je voulais en venir, commença Farâma avec un sourire embarrassé. A leur noce, le docteur a raconté quelques-unes de ses mésaventures et beaucoup d'événements en ont résulté. Mais pour que vous les compreniez, il faut que vous sachiez que Lixandru s'était lié, peu de temps auparavant, d'une grande amitié avec un garçon un peu plus âgé que lui, qui avait une vingtaine d'années et s'appelait Dragomir Calomfirescu. Ils aimaient se promener, la nuit, le long des rues, tout seuls et parlant peu. Dragomir était d'un naturel taciturne et mélancolique, quant à Lixandru, s'il ne se mettait pas à réciter des vers, il préférait lui aussi ne rien dire. Une nuit après qu'ils se furent longuement promenés en silence, Lixandru s'écria tout d'un coup : " Si je savais où a disparu la flèche et où se trouve Iozi, *je saurais tout !* " Dragomir ne connaissait que des bribes de cette histoire-là et Lixandru se mit à la lui raconter en détail. Quand il eut fini, Dragomir lui dit avec un sourire plein d'amertume : " Dans mon enfance je n'ai pas eu la chance de connaître des aventures aussi bizarres. Tout ce que ma vie a eu d'étrange et d'extraordinaire s'est passé avant ma naissance et longtemps après la fin de mon enfance. Mais je me souviens tout de même d'un détail : à huit ans j'ai eu la scarlatine et on m'a conduit dans un hôpital. Là, on m'apportait toutes sortes de livres, des contes, des récits d'aventures. Il est probable que je les ai tous lus mais je ne me souviens plus de rien, sauf d'une légende racontée par Carmen Sylva et que je n'oublierai jamais. Je n'ai pas eu le temps de la finir parce que le lendemain du jour où j'avais commencé cette lecture, je suis sorti de l'hôpital. Tous les livres que j'avais touchés furent brûlés parce qu'on ne pouvait pas les désinfecter à l'étuve. A vrai dire, de ce récit je ne me rappelle que certains détails isolés et, peut-être, sans importance : une jeune fille indiciblement belle montée sur un éléphant blanc, un vieux temple, quelque part en Inde. C'est à peu près tout mais c'est à mes yeux mon plus cher souvenir d'enfance. Pendant des années j'ai lutté contre la tentation de retrouver ce livre et de finir la lecture commencée à l'hôpital. Mais je me suis dominé et maintenant je suis certain que je ne saurai jamais qui était cette jeune fille indiciblement belle, pourquoi elle se promenait sur un éléphant blanc et ce qu'elle cherchait dans un temple indien... Vous avez appris vous-même l'hébreu, ajouta Dragomir, pour comprendre une de vos aventures d'enfance. Vous avez très bien fait mais prenez garde ! *Arrêtez-vous*

113

là ! " et il prononça ces mots avec une telle fermeté que Lixandru, stupéfait, lui demanda : " Que voulez-vous dire ? "

« Dragomir lui prit le bras et le força à faire demi-tour. Ils se trouvaient sur le boulevard Ferdinand à quelques centaines de mètres de la tour d'observatoire pour les incendies. " Regardez bien derrière vous, lui dit-il, à la hauteur du troisième réverbère, juste devant la maison au balcon blanc. Vous voyez la maison ? — Je la vois, fit Lixandru. — Eh bien maintenant, venez avec moi. Il est à peine minuit. Nous avons le temps. " Sans rien ajouter il prit la direction de l'observatoire, d'un pas rapide, en tenant toujours Lixandru par le bras. Quand ils furent au pied du monument, il l'arrêta et le fit se tourner vers la droite. " Jusqu'où pouvez-vous voir ? lui demanda-t-il. — Je vois presque jusqu'à la cour de l'église. — C'est bon. " Et ils sont repartis. Ils ont débouché sur le boulevard Pache Protopopescu, ils ont passé par la rue Mântuleasa et ils sont arrivés à Popa Soare. " Arrêtons-nous ici, fit Dragomir. Regardez, il y a un banc, dans le coin. Je vais fumer une cigarette. " Ils s'assirent sur ce banc, Dragomir tira une cigarette de son paquet et l'alluma. Lixandru alors, ne pouvant plus se maîtriser, lui demanda : " Mais enfin ? Qu'est-ce que tout cela signifie ? — Cela signifie que ce

114

quartier nous a appartenu autrefois. C'étaient les terres des Calomfir. Aujourd'hui, à part les maisons que vous connaissez, il ne nous reste plus rien et cela parce qu'un de mes ancêtres, un neveu de Calomfir, a voulu apprendre, comme vous, où se trouvent et comment vivent les gens qui sont sous la terre. — Je ne comprends pas très bien, dit Lixandru. — Allons ! Suivez-moi et je vous expliquerai ", répondit Dragomir.

Farâma se tut pour allumer une cigarette.

— Il faut que vous sachiez, reprit-il en souriant, qu'à cette époque-là il y avait à Popa Soare une taverne comme on en voit peu, de grand style, avec, devant la façade, un jardinet abrité par un tilleul. L'été, une jeune fille y venait souvent. Elle n'était pas extraordinairement belle mais c'était une petite diablesse. On l'appelait Leana mais elle hochait la tête toutes les fois que l'on prononçait son nom et disait : " Je m'appelle autrement. " Elle n'ajoutait pas d'explication. Elle aimait à s'entourer de mystère. Cette jeune fille, Leana, chantait. Les gens des faubourgs venaient l'entendre parce qu'elle connaissait de vieilles chansons, oubliées par tout le monde, et elle les chantait en s'accompagnant elle-même sur un luth, ce qui, en ce temps-là, n'était plus habituel. Dragomir a conduit Lixandru dans cette taverne et ils y sont restés jusqu'au matin. Leana venait leur chanter des chansons pour eux seuls mais ils ne l'écoutaient guère. Dragomir avait entrepris de raconter d'un bout à l'autre, à son ami, la vie de Iorgu Calomfir. De temps en temps, Leana s'arrêtait de chanter, posait le luth sur ses genoux et se mettait à écouter le jeune homme. Dragomir l'avait invitée à boire et Leana, son verre de vin devant elle, devenait parfois songeuse et souriait, l'air rêveur. Puis elle se levait brusquement, serrait son luth contre sa poitrine et se remettait à chanter. Je vous raconte tout cela, ajouta Farâma non sans quelque gêne, parce que cette jeune fille, Leana, avait elle-même toute une histoire, et si Lixandru n'a jamais pu en savoir la fin, beaucoup de choses tout de même ont résulté pour lui du fait qu'il avait fait sa connaissance, cette nuit-là, cette nuit où Dragomir l'a entraîné pour lui raconter la vie de Iorgu Calomfir. Ce Calomfir était le mari d'Arghira, de la Toute Belle Arghira, comme on disait d'elle à l'époque, vers 1700. Cette femme avait été comblée par Dieu de tous les dons. Elle était belle au point que sa renommée avait franchi le Danube et s'était répandue chez les Turcs. On parlait toujours de cette beauté un siècle après sa mort. Les musiciens tsiganes la célébraient encore dans leurs chansons en 1850. Et elle n'était pas seulement belle. Chose très rare pour son temps, elle était cultivée, elle aimait le théâtre et la poésie, elle connaissait, en plus du roumain, le grec, l'italien, l'espagnol et le français. Elle n'avait qu'une imperfection, mais très grave : elle était myope. Elle ne voyait presque pas. Son père, le gouverneur, puis son mari, Iorgu Calomfir, ont dépensé toute une fortune pour la faire soigner par des médecins et des oculistes qu'ils faisaient venir d'Istanbul ou de l'Occident. Dans leur résidence, qui se trouvait alors quelque part entre le boulevard Pache Protopopescu et la rue Popa Soare, il y avait toujours des spécialistes de la vue et des experts en lunettes. Certains venaient avec tout un atelier et installaient même un laboratoire où ils essayaient toutes sortes de verres et de lentilles. C'est peut-être l'un de ces maîtres occidentaux qui a mis Iorgu au courant des légendes et croyances populaires relatives aux cristaux magiques et aux pierres précieuses ensorcelées qui se trouvent sous la terre et que seules certaines personnes peuvent découvrir, non sans beaucoup d'efforts et de peines. Peut-être, au début, le grand amour qu'il portait à Arghira a-t-il suscité en lui l'idée de connaître ce monde souterrain. Il a sans doute pensé que si ces croyances étaient vraies, Dieu l'aiderait à trouver le cristal capable de rendre la vue à Arghira.

« Mais par la suite, il est très probable que

117

le désir de connaître le monde qui vit sous terre a fini par dominer, à la manière d'une passion, d'autant plus qu'entre-temps, après qu'il se fut construit pour son propre usage une sorte de laboratoire dans l'une des caves de la maison et qu'il eut commencé des recherches, aidé et conseillé par quelques maîtres étrangers, entre-temps, dis-je, Arghira avait recouvré la vue. Comment elle l'a recouvrée, c'est toute une histoire mais il est certain que cette nuit-là de juillet, dans la taverne de Popa Soare, Dragomir n'a pas eu le temps de la raconter parce que Lixandru était impatient de connaître les mésaventures de Iorgu Calomfir, victime de sa passion de connaître les mystères de la vie souterraine. Ce Iorgu, après qu'il eut écouté toutes les légendes et toutes les croyances populaires relatées par les maîtres d'Occident, après qu'il eut appris comment se forment les minerais et les pierres précieuses sous l'influence du soleil et de la lune, comment les filons métallifères s'insinuent dans les montagnes et comment ils sont gardés par les kobolds et les fées, se rappela que les paysans roumains jettent, à Pâques, des coquilles d'œufs rouges dans les torrents et disent que les eaux les porteront au pays des Débonnaires, personnages enchantés qui vivent quelque part sous terre. Les coquilles ont pour mission d'annoncer aux Débonnaires

118

que c'est Pâques. Dès lors Iorgu quitta les savants et les minéralogistes occidentaux. Il partit pour la campagne et visita ses domaines, interrogeant les vieux et les vieilles sur ce qu'ils savaient au sujet des Débonnaires et de leur pays souterrain. En vérité ces braves gens lui dirent ce que tout le monde en sait et rien de plus : les Débonnaires sont des êtres doux et charitables qui se nourrissent, là-bas, sous la terre, de tous les déchets que laissent les hommes, et ils passent leur temps à prier. Il apprit aussi que les Débonnaires ont vécu, autrefois, sur la surface du globe et qu'ils se sont retirés dans le sous-sol à la suite d'un certain événement. Et Iorgu acquit la conviction que cette croyance cachait une vérité bouleversante. Quiconque réussirait à en déchiffrer la signification apprendrait par où on peut descendre dans le monde des Débonnaires mais comprendrait aussi, en même temps, tous les autres mystères que l'Eglise n'a pas la permission de dévoiler. Il est alors revenu de la campagne et il s'est enfermé toute une journée dans le laboratoire de sa cave — ensuite il a fait fabriquer une porte de fer et l'a munie d'un verrou — afin d'être sûr que personne ne descendrait dans ce local sans qu'il en soit informé. Ce qu'il faisait là-bas, dans ce laboratoire, personne ne l'a jamais su mais, un beau jour, de l'eau a commencé à sourdre du sol de la cave, et Iorgu est sorti épouvanté. Il a donné à ses gens l'ordre de venir avec des seaux et des brocs pour vider cette eau. Pendant une semaine entière, les hommes ont travaillé, jour et nuit, mais l'eau jaillissait toujours avec plus de force. Iorgu était possédé d'une folle rage, il ne dormait plus. La barbe hirsute, debout en haut de l'escalier, il criait : " Plus vite ! Plus vite ! " Mais il n'y avait rien à faire. Au bout de la semaine toute la cave fut remplie d'eau, jusqu'à la dernière marche. Alors Iorgu leva un bras et cria : " Arrêtez ! Dieu m'a abandonné !... " Il était pâle, tout amaigri, ses yeux brillaient d'insomnie et de fatigue. Il s'est laissé tomber dans un fauteuil, il a pris son visage à deux mains et s'est mis à pleurer. " Dieu m'a abandonné ! " cria-t-il encore, à plusieurs reprises. »

Farâma s'arrêta et saisit, en s'inclinant, le verre de champagne que lui tendait Anca Vogel par-dessus le bureau. Puis il alluma une nouvelle cigarette.

« Maintenant, reprit-il après une pause, il faut que je vous dise que tout cela je l'ai appris le lendemain, à mon école. A l'heure du repas je me trouvai face à face avec Lixandru dans mon bureau de directeur. Il était entré en coup de vent. Ses yeux brillaient comme s'il avait de la fièvre. Il tourna la tête vers la porte, on eût dit qu'il craignait que quelqu'un l'eût suivi, et il s'approcha de moi : " Monsieur le Directeur, me dit-il tout bas, je vous en prie, ne vous fâchez pas et ne me posez pas de questions, mais je voudrais que vous me laissiez descendre, tout seul, dans la cave de l'école. Ne vous moquez pas de moi, ne me demandez rien ", ajouta-t-il en lisant la perplexité sur mon visage. L'instant d'après la porte s'ouvrit brusquement et une jeune fille entra. Elle se précipita sur moi et me prit les deux mains dans les siennes. " Ne le laissez pas, monsieur le Directeur, cria-t-elle, ne le laissez pas descendre dans la cave. C'est dommage. Il est trop jeune !... — Mais qui êtes-vous ? lui demandai-je en essayant de dégager mes mains. Comment osez-vous entrer chez les gens sans frapper à la porte ? — Si vous saviez tout ce que je sais, vous me pardonneriez, dit-elle. Les gens m'appellent Leana mais mon vrai nom est différent. En punition de mes péchés, je chante dans les tavernes mais je n'ai pas été élevée pour cela. En ce moment je chante à La Fleur du Soleil, ici, près de votre école. Hier soir j'ai chanté pour lui et pour son ami parce qu'ils m'ont paru sympathiques dès leur entrée dans la salle, et j'ai écouté le récit qu'a fait son ami, le petit-fils du boyard. Je sais le danger qui le menace si vous le laissez descendre dans la cave !... "

« Lixandru avait pâli. " Ne faites pas attention à elle, monsieur le Directeur, dit-il. Cette Leana est une exaltée. Elle voit partout des dangers et des sorcelleries. Faites-la sortir et ne la laissez rentrer qu'après qu'elle aura frappé poliment à la porte. — Qu'est-ce que cela signifie ? m'écriai-je. Asseyez-vous donc tous les deux et racontez-moi de quoi il s'agit. " Lixandru bondit : " Ne l'écoutez pas, monsieur le Directeur, cette Leana, au lieu de distraire le public, épie les confidences et n'y comprend rien... " Je lançai à Lixandru un regard sévère. Il rougit et se tut. " Je n'ai pas dormi, cette nuit, commença Leana. Dès que j'ai compris ce qu'il avait l'intention de faire, j'ai été horrifiée. J'ai eu pitié de son jeune âge. J'ai vu tout de suite que c'est un être tout feu tout flamme, et quand j'ai deviné ce qui l'attendait je me suis dit que ce serait un péché de laisser mourir ainsi un jeune garçon sans qu'il ait eu le temps de connaître lui aussi l'amour. Voilà pourquoi je n'ai pas dormi. Je l'ai guetté, dans la rue, près de l'école. Je savais qu'il viendrait et quand je l'ai vu entrer je l'ai suivi. Je vous en prie, monsieur le Directeur, je vous supplie comme on supplie le bon Dieu, ne le laissez pas descendre dans la cave !... — Mais pourquoi donc ? " m'écriai-je. Je n'y comprenais rien du tout. " Qu'il vous explique lui-même ! répondit Leana. — Je vais tout vous dire, commença Lixandru.

122

Mais à vous seul. Je parlerai plus tard à Leana mais ce que j'ai à dire je veux que vous soyez seul à l'entendre... — Je ne m'en vais, monsieur le Directeur, fit Leana en se levant brusquement, que si vous me jurez que vous ne le laisserez pas descendre dans la cave. — Je ne peux pas vous le jurer, lui répondis-je. Je ne sais même pas de quoi il s'agit. Mais soyez certaine que je ne le laisserai pas descendre avant de vous avoir entendue une nouvelle fois. Maintenant, soyez gentille, laissez-nous seuls et allez nous attendre dans le jardin. "

« Ainsi fut fait, reprit Farâma après un moment de silence. En tête à tête, Lixandru me raconta les aventures de Iorgu Calomfir que Dragomir lui avait apprises la nuit précédente. Il paraît qu'après être resté quelques heures effondré dans son fauteuil, à l'entrée de la cave, contemplant les eaux qui montaient toujours, Iorgu appela son sommelier et lui demanda : " Combien de gens de notre famille sont-ils morts ici ? " et il lui montra les pièces situées au-dessus de la cave. " Dans ces bâtiments-ci, monsieur, personne n'est mort, répondit le sommelier. M. Calomfir est décédé à la vigne ; quant aux parents de votre grand-mère, ils sont morts là-bas, dans les vieux bâtiments. " Et il tendit la main vers la maison d'en face. " Bon Dieu ! où donc avais-je la tête ! " s'écria Iorgu en se donnant une tape sur le front. Ensuite il se leva de son fauteuil et dit à ses gens : " N'ayez plus peur. Les eaux vont redescendre. " Et en effet, c'est ce qui s'est passé, dès cette nuit-là. Au bout d'une semaine toute la cave était à sec. Ce que le laboratoire est devenu, personne ne l'a su. En effet dès que les eaux s'en sont allées, Iorgu est entré tout seul dans la cave, a fermé la porte derrière lui, et quand il est ressorti il n'avait plus qu'un petit coffret dans les mains. Le reste, tout ce qu'il y avait là-bas, il l'avait détruit à coups de marteau.

« Mais peu de temps après il a commencé des recherches dans la cave des vieux bâtiments. On lui a fabriqué encore une porte de fer et il s'est enfermé là-bas jour et nuit. Au bout de quelques mois le même incident s'est produit. On l'a vu surgir en haut de l'escalier et il a crié aux gens de venir avec des seaux et des brocs pour vider la cave. Ils ont travaillé d'arrache-pied jusqu'au moment où Iorgu leur a fait un geste pour qu'ils s'arrêtent. De nouveau il a pris sa tête à deux mains, découragé. " Le bon Dieu ne m'aide pas ! " murmurait-il. Cependant, quelques mois plus tard il fit un troisième essai, au fond du jardin, cette fois. Là s'élevaient jadis quelques bâtiments qu'un de ses aïeux avait abattus pour y construire des écuries, quand il avait acheté ce terrain. Et en effet, sous les écuries il trouva

les vestiges d'une cave et il y installa son laboratoire. Ce qui s'est passé alors, je ne le sais
pas. Lixandru ne me l'a pas dit. Sans doute
Iorgu n'a-t-il pas réussi cette fois non plus.
Très peu de temps après il a vendu une partie
de ses terres et il s'en est allé à l'étranger.

« " Voilà ce que m'a raconté Dragomir cette
nuit, ajouta Lixandru, mais je ne savais pas
que Leana avait tout entendu. Maintenant je
ne vous demande qu'une chose : laissez-moi
descendre dans la cave ! Savez-vous pourquoi ?
Parce que le terrain sur lequel est bâtie l'école
appartenait au boyard Calomfir. — Non, ce
terrain et toutes les maisons voisines apparte-
naient au boyard Mântuleasa. — Je le sais et
je connais même les circonstances dans les-
quelles il en a fait l'acquisition. Mais je suis
persuadé que quelque part, dans cette rue,
peut-être même ici, sur l'emplacement de cette
école, il est resté des signes. — Quelle sorte
de signes ? lui ai-je demandé. — Là-dessus,
pardonnez-moi, je ne peux rien vous dire, monsieur le Directeur, fit-il en rougissant. — C'est
bon. Ne me dites rien... "

« Je me suis levé, Lixandru aussi, et nous
sommes sortis dans la cour. Leana s'est précipitée vers nous dès qu'elle nous a vus.
" Hein ? Qu'est-ce que vous en dites ? me
demanda-t-elle. — Nous allons tous descendre
dans la cave ", lui répondis-je. Leana tomba

à genoux et serra mes jambes entre ses bras.
" Ne le laissez pas, monsieur le Directeur,
c'est dommage, il est si jeune ! criait-elle. —
N'ayez pas peur ma petite, lui dis-je en la
relevant. Dans notre cave il n'y a jamais eu
d'eau. — Vous n'en savez rien ! "

« Mais je ne me suis pas laissé impression-
ner. J'ai cherché la clef de la cave, j'ai pris
trois bougies — il n'y avait en effet de bec de
gaz que dans la première salle, à l'entrée — et
nous sommes descendus. Leana suivait Lixandru pas à pas, prête à le prendre dans ses bras
s'il était menacé par le moindre danger. Nous
avons rôdé ainsi dans cette cave au moins un
quart d'heure. Lixandru, très pâle, les lèvres
serrées, examinait tantôt un mur tantôt un
autre, approchait la flamme de la bougie du
sable qui couvrait le sol, tâtait les parois, en
les caressant doucement de la paume de sa
main comme s'il cherchait on ne sait quelles
marques. Puis, brusquement, il s'est tourné
vers moi et m'a dit : " Ce n'est pas ici. Nous
pouvons nous en aller... " Leana s'est alors
jetée sur lui, l'a serré contre elle, l'a embrassé
sur les deux joues en criant : " Bravo ! Bravo
mon ami ! " Puis elle s'est emparée de ma
main et, sans que j'y prenne garde, elle y a
déposé un baiser. " Que Dieu vous bénisse et
récompense votre bon cœur ! " me dit-elle.

Ensuite elle a éteint sa bougie et a monté rapidement l'escalier.

« Voilà comment j'ai fait la connaissance de Leana, dit Farâma en souriant. Le soir même je suis allé à la guinguette de La Fleur du Soleil pour l'entendre et dès lors je me suis pris d'affection pour elle. Plus tard je lui ai raconté toute l'histoire que Lixandru m'avait révélée. Je n'ai jamais su ce qui l'avait épouvantée dans les récits de Dragomir mais je peux dire que sa joie et ses embrassades avec Lixandru ont été sans lendemain parce que le garçon ne s'est pas calmé du tout. Il s'est mis à rendre visite aux voisins de l'école et à leur demander la permission de descendre dans leurs caves. Leana ne l'a appris que trop tard. Mais alors, que d'histoires entre eux deux, à la suite de cette envie, chez Lixandru, d'aller explorer les caves des gens ! Il faudrait plusieurs nuits pour raconter tout cela.

— Reposez-vous et buvez donc un verre de champagne, lui dit Anca Vogel en lui tendant la bouteille par-dessus le bureau.

Farâma se leva, tout ému, prit la bouteille et remplit son verre. Ensuite, il contourna le bureau et, avec le plus grand soin, il reposa le verre sur le plateau d'argent.

— Buvez tout de suite, insista Anca Vogel, sinon votre champagne va être chaud.

En souriant et en hochant la tête sans arrêt,

Farâma vida son verre et, comme malgré lui, poussa un soupir. Il alluma une cigarette et, pendant quelques instants, il fuma, l'air rêveur, les yeux presque fermés.

— Oui, reprit-il soudain, Lixandru a longtemps souffert de cette passion. Il entrait chez les gens, dans tout le faubourg, et leur demandait poliment la permission de descendre dans leurs caves. La plupart le chassaient, et même certains le menaçaient de le mettre entre les mains des agents de police, mais il y en avait qui le laissaient faire. Lixandru descendait alors avec des bougies et une lampe électrique de poche, il explorait les murs, restait parfois une demi-heure, sinon plus, s'il lui semblait que la moisissure était ancienne et présentait je ne sais quels indices qu'il était seul à connaître. Ensuite il remontait de l'obscurité, plus pâle que jamais, il remerciait vivement les gens et, en guise de récompense, s'arrêtait sur le seuil et récitait des poésies. Il commençait toujours par *Melancolia* d'Eminescu, puis, si les habitants de la maison paraissaient aimer les vers, il se mettait à réciter des sonnets de Camoëns, notamment *Minha alma gentil...* Il restait là, sur le pas de la porte, une main sur le cœur, l'autre appuyée au chambranle, et il déclamait, déclamait. Beaucoup se demandaient ce qu'il avait et le considéraient avec tristesse et regret. Il faut vous dire que Lixandru était devenu un beau garçon, et quand on le voyait là, debout, blafard, les mains sales de poussière et de moisissure, récitant de l'Eminescu et du Camoëns, on sentait son cœur se serrer.

« Beaucoup de jeunes filles et de servantes se sont amourachées de lui et beaucoup de femmes soupiraient quand elles le voyaient passer toujours par les mêmes rues, le matin, à la fin du printemps ou le soir, en été, immédiatement après le coucher du soleil. Il croyait qu'à ces heures-là les gens sont plus affables et qu'il serait bien reçu dans les maisons d'où quelques semaines ou quelques mois plus tôt on l'avait chassé en le menaçant d'appeler la police.

« De temps en temps, je l'apercevais moi-même, de la fenêtre de mon bureau. Il marchait songeur et mélancolique sous les abricotiers en fleur. Il faut vous dire, ajouta Farâma en souriant, qu'il y avait à cette époque-là beaucoup d'abricotiers et de pêchers dans le quartier de l'école. Au printemps ces arbres paraissaient tout blancs de neige. Quand j'avais le temps, je l'appelais ou même je descendais vers lui, dans la rue, et nous causions. " Alors ? Tu ne renonces pas ? " lui demandais-je en souriant, mais c'était plutôt pour le taquiner. Lui s'enflammait tout de suite et ses yeux brillants, au regard rendu

129

comme plus profond par l'insomnie, me péné-traient à la façon d'une vrille. " Si vous saviez ce que je sais, monsieur le Directeur, vous ne ririez plus ! me disait-il. J'ai appris beaucoup de choses en cuisinant Dragomir et je sens que les signes sont par ici, entre le boulevard, la rue Popa Soare et la Calea Moshilor. " Et il tendait le bras, dessinant des cercles et encore des cercles. " Si j'avais un milliard, j'achèterais toutes ces maisons et je les démolirais, me dit-il un jour. Vous seriez ébahis vous-même et aussi les historiens, les archéologues, en voyant tout ce que je trouverais ici, sous la terre, sous ces trottoirs. " Et il tapait du pied comme un enfant, avec désespoir. " Les établissements humains sont beaucoup plus anciens que vous ne le supposez tous. Ce ne sont pas eux qui m'intéressent, je cherche autre chose, moi, mais vous auriez grand intérêt, vous-mêmes, à connaître tous les secrets qui se cachent là-dessous, à l'intérieur de la terre, sous ces pierres et ces maisons... — Nous sommes d'accord, mon cher Lixandru, lui dis-je en lui coupant la parole, tu es maintenant un grand garçon, tu es instruit, tu n'es plus un enfant. Comment peux-tu te figurer, à ton âge, que tu vas retrouver Iozi, après tant d'années, en train de vivre, caché, sous la terre ? Comment peux-tu croire à une affaire pareille ? "

« Lixandru m'a regardé longuement, d'un

regard scrutateur, puis il a souri avec tristesse. " Je regrette, monsieur le Directeur, que vous me croyiez ou bien dérangé d'esprit ou bien resté au niveau mental d'un enfant. Je sais que Iozi est vivant mais pas ici, pas sous terre, pas sous nos pieds. " Et, à ces mots, il se mit à piétiner le sol du trottoir. " Mais les signes dont je vous ai parlé doivent être cherchés d'abord sous la terre. — Quel genre de signes, mon vieux Lixandru ? — Voyez-vous, me répondit-il en souriant, cela, je ne peux pas vous le dire. Pour comprendre les signes il faut d'abord savoir les reconnaître "... Il m'a salué et s'en est allé sous les abricotiers en fleur.

« Je le rencontrais parfois à la taverne de Popa Soare, en train d'écouter les confidences de Leana. Il venait d'habitude avec Dragomir. Mais un jour qu'il était seul il me prit à l'écart et me dit : " Tant pis si cela vous paraît bizarre, monsieur le Directeur, mais je dois vous dire que cette Leana cache un grand secret, autrement, comment connaîtrait-elle les signes ? Je suis persuadé qu'elle les connaît. Vous vous souvenez du jour où elle s'est jetée sur nous, dans votre bureau ? Comment aurait-elle pu soupçonner qu'il y avait grand danger pour moi à descendre dans la cave ? Vous-même, tous les autres, vous n'avez pas eu peur. Pourquoi s'est-elle effrayée ? Cette fille sait quelque chose. Je l'écoute chanter. Souvent elle ne chante que pour nous deux, Dragomir et moi. Ensuite elle vient s'asseoir à côté de nous après avoir chanté une certaine chanson et elle sourit. Après avoir chanté une certaine chanson, reprit-il avec insistance. Comment la sait-elle ? Qui la lui a apprise ? Elle n'en dit rien. — Quelle chanson, Lixandru ? ai-je demandé. — Venez donc écouter Leana vous-même, monsieur le Directeur, et vous devinerez laquelle. Elle la chante toutes les nuits. "

« Voilà comment j'ai succombé moi aussi à la passion... Je suis devenu un pilier de la taverne de Popa Soare. J'y allais toutes les fois que je pouvais, afin d'entendre Leana, et même le bruit a circulé dans le faubourg que j'avais perdu mes esprits pour elle. Mais ce n'était pas vrai. J'aimais cette fille comme j'aimais tant d'autres jeunes enfants ou adolescents, comme j'aimais les rêveurs, les audacieux et aussi tous ceux qui avaient une originalité quelconque et qui voyaient dans la vie autre chose que ce que nous voyons, nous, les gens écrasés de travail et de soucis. Et puis, je venais entendre Leana parce que j'étais devenu amoureux de la taverne où elle chantait. J'avais d'ailleurs comme une tendresse pour toute la rue Popa Soare. Je dois vous le dire, ce quartier qui était le mien, entre la rue Mântuleasa et la rue Popa Soare... »

Anca Vogel éclata de rire.

— Non, Farâma ! lui dit-elle en lui versant un verre de champagne, non, pas sur ce sujet... Le matin va nous surprendre. Mettez plutôt un peu d'ordre dans vos souvenirs. Dites-moi comment s'est passée la noce d'Oana et ce qui est arrivé ensuite à son Estonien et à elle-même...

— Je pensais bien revenir là-dessus, sur la noce d'Oana, commença Farâma en souriant. Mais pour comprendre comment elle s'est passée, cette noce, il faut que vous sachiez que la cousine de Dragomir, qui s'appelait Zamfira, éprouvait une grande affection pour Oana et venait souvent au cabaret de son père, souvent en plein jour, avec son album, et elle dessinait des esquisses. Mais pour que vous compreniez ce qu'elle attendait de la jeune fille, il faut que vous connaissiez son histoire, à elle, Zamfira...

Il s'arrêta soudain, intimidé, le regard fixé sur Anca Vogel.

— L'histoire de Zamfira ! s'écria-t-elle, rêveuse. Vous dites que je dois connaître aussi l'histoire de Zamfira ? Mais combien de temps dure-t-elle ?

— Sa véritable histoire, reprit Farâma sur un ton de sérénité, commence il y a un peu plus de deux cents ans. Tout ce qui lui est arrivé part de là. Pourquoi ? Parce qu'elle a toujours cru qu'elle devait ressembler à la Zamfira dont je vous ai parlé, à celle qui avait rendu la vue à la belle Arghira...

Anca Vogel eut un nouvel accès de rire.

— Farâma ! s'écria-t-elle en hochant la tête. Vous êtes un curieux homme. Prenez ce paquet de cigarettes dans votre poche, profitez-en. Je vous remercie pour cette soirée et peut-être que nous nous reverrons. Bonne nuit !

Elle lui tendit sa main par-dessus le bureau. Farâma se leva d'un bond, prit cette main et la baisa du bout des lèvres.

— Je vous remercie beaucoup, dit-il, je vous remercie beaucoup pour les cigarettes et pour votre confiance...

VIII

Il continuait d'écrire chaque jour mais à présent avec le plus grand soin, tranquillement, et il relisait avec attention ses feuillets avant de les livrer au gardien. Il se rendait compte que, sans le vouloir, il revenait toujours sur les événements qui lui paraissaient essentiels mais il craignait moins les répétitions inévitables que les confusions auxquelles pouvaient mener les variantes du même récit présentées selon des perspectives différentes. Farâma comprit ce risque le jour où, au bout de plusieurs semaines, il se trouva de nouveau devant Dumitrescu, dans son bureau.

— On pourrait croire que je vous veux du bien, lui dit l'homme, eu je me demande moi-même pourquoi. En effet, je ne suis pas écrivain, et je n'ai pas de folle passion pour l'œuvre des artistes et des romanciers comme tant de gens d'ici. Peut-être avez-vous compris, ajouta-t-il avec un sourire amer, que vos histoires ont passé par beaucoup de mains et qu'elles ont même été lues par de hauts responsables, et je ne parle pas des nombreux écrivains en vue, jeunes ou vieux, qui en ont pris eux aussi connaissance.

— Je ne savais pas, dit Farâma en rougissant comme une pivoine, je ne savais pas...

— Eh bien, vous le saurez maintenant ! Mais je veux attirer votre attention sur le fait qu'en ce qui me concerne, la valeur de vos déclarations n'a aucune importance. Ce qui m'intéresse moi, exclusivement, c'est la marche de l'enquête et justement c'est de cela que je voudrais vous parler. On a beau lire les nombreuses, les trop nombreuses pages que vous avez écrites jusqu'à présent, il y en a des centaines, sans compter les déclarations orales que vous avez faites, on n'arrive pas à comprendre clairement les liens qui unissaient Lixandru et Darvari.

— Ils ont été des amis dès l'école primaire.

— Je ne vous parle pas de l'école primaire, coupa Dumitrescu, ni de leur amitié pour Oana, Zamfira et les autres. Je vous parle de leurs relations en 1930, quand Darvari est parti en avion pour la Russie.

— Ils étaient amis à ce moment-là.

— Cela ne ressort pas clairement de vos déclarations, et pour la bonne raison qu'à première vue, du moins, vous vous contredisez.

Je vous montrerai un jour des extraits de vos déclarations et vous verrez vous-même à quel point votre texte est confus et souvent contradictoire. Peut-être ne devrais-je pas vous le dire, reprit-il au bout d'un moment, mais je veux votre bien, même si je ne m'en rends pas tout à fait compte moi-même. Je me demande ceci : quand vous vous contredisez, est-ce parce que vous ne vous souvenez plus dans le détail comment les faits se sont déroulés ou bien est-ce parce que vous voulez cacher quelque chose ? Si vous voulez vraiment cacher quelque chose, tout ce que je peux vous dire c'est que vous vous faites des illusions. Il serait tout de même regrettable qu'à l'âge où vous êtes vous vous fassiez encore des illusions...

Ils se turent l'un et l'autre quelques instants.

— J'ai compris, commença Farâma esquissant un sourire forcé. Je vous remercie beaucoup. Non, je ne cherche pas à cacher quelque chose, mais je sais à quoi vous faites allusion. Quand les histoires ne sont pas racontées comme elles devraient l'être, elles ont l'air parfois confuses et certains détails semblent contredire l'ensemble, si vous me permettez de m'exprimer comme je fais à l'école. Voilà pourquoi j'ai l'intention de me montrer désormais le plus attentif qu'il me sera possible et d'écrire le plus clairement qu'il me sera également possible.

— C'est votre intérêt, fit Dumitrescu en lui tendant la main et en appuyant sur le bouton de la sonnette. A propos, ajouta-t-il en essayant d'atteindre son regard, je peux vous dire encore une chose que vous n'auriez sans doute aucun moyen de savoir : Darvari n'est jamais arrivé en Russie. On n'a jamais trouvé l'avion avec lequel il s'était enfui en dépit de longues recherches que les Russes et nous-mêmes avons faites. Je crois que vous comprenez ce que cela signifie...

Ce jour-là Farâma n'écrivit à peu près rien. Il resta longtemps immobile, la tête entre les mains devant sa feuille de papier. Puis il se décida brusquement. Il se mit à inscrire des dates. 1700 : Arghira ; 1840 : Selim ; octobre 1915 : Iozi ; automne 1920 : noces d'Oana ; 1919-1925 : Marina-Darvari ; 1930... Il s'arrêta et jeta un regard vague sur tous ces chiffres mais à la fin il résolut de les barrer l'un après l'autre, avec un soin méticuleux en trempant sans cesse sa plume dans l'encrier pour obtenir des traits plus épais.

Le lendemain il entreprit de relater à nouveau mais en s'efforçant d'être le plus concis et le plus clair possible, les événements des années 1914-1915 jusqu'à la disparition de Iozi. Chaque jour qui suivit il s'appliqua à résumer, de plus en plus sobrement, comme s'il rédigeait un rapport officiel, toute la série des événements qui avaient précédé la disparition du fils du rabbin et qui se trouvaient en étroite relation avec la rue Mântuleasa.

Au bout d'une semaine, à peu près, le gardien vint encore une fois le réveiller en plein sommeil.

— Venez ! L'auto est là ! Vous allez vous promener ! ajouta-t-il en souriant.

Il arriva un peu avant minuit à la villa et il trouva Anca Vogel assise à son bureau, en train de fumer. Elle avait en face d'elle une montagne de dossiers. A côté, sur un guéridon, deux bouteilles de champagne.

— Bonsoir Farâma ! lui dit-elle. Asseyez-vous et allumez une cigarette.

Elle lui tendit un paquet de Lucky Strike.

— Reposez-vous un instant et buvez un verre de champagne, ajouta-t-elle en saisissant la bouteille et en remplissant les verres.

— Je vous remercie beaucoup, répondit Farâma en s'inclinant à plusieurs reprises.

— Et puis quand vous serez bien reposé, vous me raconterez vos histoires, pas n'importe comment, au petit bonheur, comme vous aimez à le faire, mais à bon escient, au contraire. Je ne sais pas si vous comprenez ce que je veux dire. Choisissez dans tout ce que vous savez ce qu'il y a de plus beau. Par exemple, ce soir, les noces d'Oana.

— Si vous me le permettez, je commencerai par l'histoire de Zamfira...

— Vous m'avez dit qu'elle dure depuis deux cents ans ! fit Anca Vogel en souriant.

— Je vais la résumer le plus possible. Mais si vous ne savez pas ce qui s'est passé il y a un peu plus de deux cents ans vous ne comprendrez rien aux noces d'Oana ni à ce qui en est résulté.

Anca Vogel sourit encore, haussa les épaules et remplit son verre.

— Peut-être vous rappelez-vous, commença Farâma, que l'épouse du boyard Iorgu Calomfir, la Toute Belle Arghira, comme on l'appelait, avait la vue très faible. Bien qu'elle aimât beaucoup la lecture elle ne pouvait rien lire. Elle se contentait de prendre les livres entre ses doigts, de les palper, de les approcher de son visage afin de déchiffrer les titres, ensuite elle les passait à sa dame de compagnie, une Grecque, qui les lui lisait. Outre les poésies, les romans et les récits de voyage, Arghira aimait beaucoup le théâtre. Elle avait une véritable passion pour le théâtre et dès qu'elle eut épousé Calomfir, elle lui demanda d'abattre la cloison qui séparait deux grandes pièces de la maison, de remplacer cette cloison par des colonnes et d'y installer une salle de spec-

140

tacle. Elle aurait beaucoup aimé jouer elle-même mais elle était trop myope. Elle se contentait de mettre à ses amies et aux enfants de ses amies des costumes tailés selon sa fantaisie et de les faire jouer. Elle aimait inventer des habits aux couleurs vives, très voyantes. Elle choisissait elle-même les étoffes, les velours, les soies mais dans des teintes éclatantes qu'elle pouvait percevoir, des velours rouges, couleur de flamme, des linons blancs comme la neige, des tissus brochés d'or et des soieries turques, vertes, bleues, orange. Quand les acteurs mettaient leurs costumes elle s'approchait d'eux et venait tâter les étoffes. On eût dit qu'elle voulait se rendre compte si l'on avait bien suivi ses indications. Elle discernait les couleurs, en effet, et même d'assez loin. Quand le spectacle commençait elle s'installait dans un fauteuil, au premier rang, et suivait le texte : la plupart du temps elle le connaissait par cœur.

« Son mari, comme je vous l'ai dit, avait dépensé une fortune en honoraires de médecins et de fabricants de lentilles mais sans résultat. On avait beau lui proposer toutes sortes de lunettes, dès qu'elle essayait une paire elle se mettait à pleurer. Aucun savant n'avait trouvé la cause pour laquelle les yeux d'Arghira ne toléraient aucune sorte de verre. Des magiciens et des guérisseurs de tout genre venaient aussi la voir, et ils essayaient leurs drogues et leurs remèdes mais sans jamais obtenir aucun résultat. Et puis voilà qu'un beau matin, un dimanche, après l'office, une jeune fille monte chez elle, dans son belvédère, une jeune paysanne, qui lui déclare : " Je m'appelle Zamfira. Lavez-vous le visage avec l'eau que voici et le bon Dieu vous rendra la vue. " Aussi curieux que cela puisse paraître, tout s'est passé comme a dit la jeune fille : Arghira s'est lavé le visage avec cette eau et elle s'est mise à voir comme tout le monde. Elle a embrassé cette Zamfira, lui a donné des cadeaux et, depuis, elle l'a fait venir chaque jour auprès d'elle dans son belvédère. Peu de temps après elle l'a mariée avec un homme de confiance de son père, nommé Mântuleasa, et lui a offert les maisons et les terrains, bref le quartier dans lequel on a percé plus tard la rue Mântuleasa. Mais c'est là une autre histoire et je vous la raconterai aussi un jour si l'occasion s'en présente.

« Ce que je voudrais vous dire, maintenant, reprit-il après avoir allumé une nouvelle cigarette, c'est que la cousine de Dragomir, celle qui faisait de la sculpture, de son vrai nom Marina, avait appris dans son enfance toutes les histoires que je viens de vous raconter. Elle eut le sentiment que Zamfira avait été, à sa manière, une sainte, et qu'elle-même,

Marina, lui ressemblait. Bien mieux, allez savoir si elle n'était pas Zamfira en personne, revenue sur la terre après deux cents ans, non pas afin de rendre la vue à une nouvelle Arghira mais pour apprendre aux hommes *comment voir*. En effet, pensait Marina, les hommes ne savent plus voir, ne savent plus regarder autour d'eux. Tous les maux et les fléaux du monde proviennent du fait que, de nos jours, les gens sont à peu près aveugles. Pour les guérir, il n'y a pas d'autre moyen que de leur apprendre à regarder les œuvres d'art et en premier lieu les sculptures. Voilà pourquoi la jeune fille s'était prise d'une grande affection pour Oana et venait souvent au cabaret du père Tunsu afin de dessiner son corps, son visage. Elle remplissait d'esquisses des albums entiers, disait que seule Oana était digne de servir de modèle pour une statue de déesse.

— Assez, Farâma ! s'écria Anca Vogel en levant brusquement la main. Tout cela n'a pour moi aucun intérêt. Je vous ai demandé de me raconter les noces d'Oana.

— J'allais y arriver au bout de quelques minutes, dit Farâma en rougissant. Ces noces d'Oana, qui ont été célébrées au monastère Paserea, Marina, tous ses amis et tous ceux d'Oana y étaient présents.

— Quand donc ont-elles eu lieu ?

— A l'automne de 1920.

— Et tout ce que vous venez de me raconter, toute cette histoire de Marina qui se prenait pour Zamfira, quand cela se passait-il ?

— Un an auparavant, vers 1919.

— C'est bon. Laissons cela et venons-en aux noces, directement.

Farâma pencha la tête et se mit à caresser avec des gestes nerveux ses genoux.

— Puisque vous le désirez, je vais tout vous raconter mais je vous demanderai seulement quelques secondes pour vous signaler que Marina venait à peine de commencer sa sculpture, *La Naissance de Vénus*, le jour où Oana demanda la permission à son père de partir pour la montagne. Si bien que cet été-là, Marina resta sans son modèle. En proie au désespoir, elle réunissait les garçons chez elle, et tous y passaient de joyeux moments, nuit après nuit. Je dois vous dire que personne d'entre eux n'avait eu l'occasion jusqu'alors de fréquenter une maison comme celle-là, riche et luxueuse.

— Les quelques secondes sont passées depuis longtemps ! fit Anca Vogel en l'interrompant.

— Je vous demande pardon. Mais c'est très curieux. Je ne peux pas sauter certains détails qui, à première vue, semblent sans importance mais qui, en réalité, sont décisifs pour tout ce qui va se produire par la suite. Il fallait que je signale cette maison ancienne et riche parce que les tantes de Marina y vivaient alors, deux vieilles femmes qui paraissaient ne plus avoir tous leurs esprits mais qui le paraissaient seulement...

— Mais qu'est-ce que cela vient faire ? interrompit Anca Vogel non sans quelque rudesse.

— Cela vient faire ceci, répondit Farâma, que les deux vieilles dames répétaient sans cesse aux garçons, cet été-là, aux garçons qui, je vous le rappelle, n'avaient pas encore vingt ans : " Ne tombez jamais amoureux de Marina ! Elle est promise par le sort à Dragomir ! Il faut que Dragomir l'épouse, sinon notre famille s'éteint... "

Farâma s'arrêta net, à cause de la sonnerie du téléphone qui le fit sursauter de crainte mais surtout à cause du brusque changement d'expression qu'il perçut sur le visage d'Anca Vogel. Elle le regardait fixement, l'air sévère. D'un geste nerveux elle éteignit la cigarette qu'elle venait d'allumer. Elle prit ensuite l'appareil et l'approcha de son oreille en esquissant un sourire. Farâma sentit la terreur le gagner et il tourna les yeux vers l'une des bibliothèques qui garnissaient la pièce.

— C'est bien, entendit-il Anca Vogel murmurer.

Au bout d'un instant elle ajouta rapidement quelques paroles en russe puis elle reposa le récepteur sur son socle.

— Farâma, commença-t-elle sur un ton de voix tout différent, vous pouvez dire que vous avez de la chance.

Elle remplit son verre, le vida d'un trait et alluma une nouvelle cigarette.

— Mais je ne sais pas si vous-même vous portez bonheur aux autres. Nous verrons cela plus tard, ajouta-t-elle avec un sourire, l'air absent. Cependant, il pourrait se faire que tout soit bien plus mystérieux que vous ne l'avez cru quand vous avez commencé vos histoires sur Oana et sur Zamfira.

— Je vous donne ma parole d'honneur..., murmura Farâma en pâlissant.

— Je vous prie de ne pas m'interrompre. Que vous ayez inventé ou non d'un bout à l'autre les aventures que vous avez écrites ou racontées de vive voix m'est tout à fait indifférent. Cependant il y a un petit problème psychologique qui se pose et j'aimerais bien savoir comment le résoudre. Le voici : pourquoi inventez-vous cet univers étrange, au fur et à mesure que vous parlez ? Le faites-vous simplement par peur, dans l'espoir de pouvoir vous tirer plus facilement d'affaire ? Mais alors, je ne comprends pas de quoi vous avez

146

peur, je ne saisis pas quel est le danger auquel vous voulez échapper...

Farâma blêmit davantage encore, se mit à frotter ses genoux dans un geste machinal mais n'osa rien dire, bien que les regards d'Anca Vogel fussent posés sur lui avec curiosité, dans l'attente d'une réponse.

— Dans tous les cas, reprit-elle, après s'être rempli un nouveau verre, vous avez de la chance. Vous ne vous doutez pas de la surprise que je vous avais préparée pour cette nuit ! Vous ne pouvez même pas l'imaginer ! ajouta-t-elle en s'efforçant à nouveau de sourire. Une limousine nous attend dehors et j'avais tout un plan : après trois heures du matin, c'est-à-dire au moment où, selon votre propos, Dieu descend sur la terre, nous nous serions promenés tous les deux, rue Mântuleasa. Pourquoi ? Pour que vous me montriez votre école et les tavernes et les maisons aux caves profondes...

— Si vous voyiez tout cela l'été ! s'écria tout d'un coup Farâma avec une ferveur inattendue dans la voix, l'été, avec les griottiers et les abricotiers lourds de fruits...

La femme le regarda de nouveau au fond des yeux, puis elle se mit, toute pensive, à boire lentement son champagne.

— Mais comme je vous l'ai dit, vous avez de la chance ! Je ne pourrai jamais savoir si vous avez tout inventé ni dans quelle mesure vous nous avez raconté des mensonges. Et cela pour la bonne raison que l'on ne peut plus passer dans la rue Mântuleasa !...

Elle s'arrêta puis elle éclata de rire en voyant Farâma bondir, au comble de l'effroi.

— Plus exactement, on ne peut pas y passer cette nuit. Du moins nous, nous ne pouvons pas y passer. Nous deux, c'est impossible. Ainsi vous voyez que les choses sont encore plus compliquées que dans vos récits...

En prononçant ces dernières paroles elle appuya sur un bouton et tout de suite après l'agent entra.

— Donnez-lui quelques cigarettes et embarquez-le vite dans la voiture.

Elle se leva brusquement du bureau et se dirigea vers l'autre extrémité du salon. On discernait derrière le rideau un balcon. Non sans effort et tout en essayant de dominer ses tremblements, Farâma s'inclina très bas. Il sentit le bras de l'agent contre le sien et se laissa emmener sans résistance. Une fois dans la cour il aperçut un groupe d'hommes qui l'attendaient. Ils portaient de longs manteaux. Comme il ne reconnaissait aucun d'entre eux il eut le sentiment que ses jambes, toutes molles, ne le portaient plus. Il serait tombé si un agent ne l'avait soutenu.

— Qu'est-ce qu'elle a dit ? demanda l'un

des hommes en gardant ses deux mains enfon-
cées dans les poches de son manteau.

— Elle a dit que je lui donne des cigarettes.

IX

Il se trouva tout d'un coup assis sur une chaise, dans une pièce éclairée pauvrement et de manière bizarre. Il ne voyait qu'un bureau, en face de lui, derrière lequel deux inconnus le regardaient avec curiosité tout en faisant mine de ne pas s'intéresser à sa personne.

— Je vous prie de m'excuser, commença-t-il après avoir lancé tout autour de lui des regards d'effroi, je suis très fatigué. Je ne sais pas comment j'ai pu arriver ici. J'ai eu l'honneur d'être invité par la camarade ministre Anca Vogel.

— C'est justement en liaison avec cette visite que nous voulons vous poser quelques questions, fit brusquement l'un des deux hommes. — Il avait une chevelure clairsemée et collée avec soin sur le haut du crâne. Il portait des lunettes noires et tenait ses mains jointes posées sur un dossier. — Avant tout, continua-t-il en parlant rèts disinctement et en appuyant sur les mots, nous voudrions savoir si la camarade Vogel vous a dit quelque chose sur Economu.

— Le sous-secrétaire d'Etat à l'Intérieur ?

— Il n'est plus sous-secrétaire d'Etat. Nous voudrions savoir si la camarade Vogel vous a dit quelque chose sur Vasile Economu. Essayez de vous souvenir, ajouta-t-il en voyant Farâma hocher vigoureusement la tête. C'est très important et cela peut alléger de manière sensible votre situation.

A cet instant l'autre homme lui tendit un paquet de cigarettes et un briquet. Il avait les dents espacées, toutes jaunies, qu'il laissait voir sans cesse parce qu'il souriait tout le temps d'un air contraint et mélancolique. Farâma prit une cigarette et l'alluma vite en s'efforçant de calmer le tremblement de ses mains.

— Je peux assurer que jamais, dans les propos que j'ai eu l'honneur d'échanger avec la camarade ministre Vogel, jamais je ne l'ai entendue prononcer le nom de M. Economu.

— Et pourtant, vous avez été convoqué chez la camarade Vogel après avoir eu une longue conversation avec Vasile Economu, alors sous-secrétaire d'Etat à l'Intérieur.

— Je ne pourrais pas dire que j'ai eu avec lui une longue discussion, commença Farâma après avoir aspiré profondément une bouffée de tabac et, en fait, je ne sais même pas si M. Economu a eu l'occasion de prononcer plus de quelques paroles. Il m'avait fait venir juste pour que je lui raconte quelques détails sur Oana, la fille d'un cabaretier d'Obor. Moi, je racontais et M. Economu m'écoutait.

— Voici ce que nous voulons savoir, interrompit de nouveau l'homme aux lunettes noires : pourquoi, après que vous avez raconté à Economu certaines choses au sujet d'Oana, la camarade Vogel vous a-t-elle convoqué chez elle pour que vous les lui racontiez à elle aussi ? A moins que, ajouta-t-il après un bref silence et en le regardant droit dans les yeux, Economu vous ait laissé comprendre qu'il y avait d'autres choses à dire au sujet d'Oana, d'autres choses qui auraient pu intéresser directement la camarade Vogel ?

Farâma avait baissé les yeux.

— Quel genre de choses ? Quelles choses auraient pu intéresser Anca Vogel dans cette vieille histoire à laquelle elle ne croyait même pas et qu'elle me soupçonnait d'avoir inventée de toutes pièces ?

— Comment savez-vous qu'elle n'y croyait pas ?

— Elle me l'a dit elle-même, ce soir, ou plutôt la nuit passée, vers la fin, quand j'ai été chez elle la dernière fois...

— Mais à quel moment vous a-t-elle avoué qu'elle n'y croyait pas ? Avant ou après qu'elle a été appelée au téléphone ?

Farâma pâlit et écrasa pour l'éteindre sa cigarette dans le cendrier.

— Après, murmura-t-il. Après qu'elle a parlé au téléphone.

Les deux hommes échangèrent un regard, l'air grave, tout d'un coup.

— Evidemment ! Après ! Mais jusqu'alors elle n'avait donné aucun signe prouvant qu'elle mettait en doute la véracité de votre récit ? Et justement nous voulons savoir pourquoi Economu, ayant appris l'histoire d'Oana, a cru que certaines choses, ou peut-être qu'une certaine chose, liée à cette histoire, pouvait intéresser directement la camarade Vogel. Je serai encore plus précis : essayez de vous souvenir si, en racontant à Economu les mésaventures d'Oana, vous lui avez décrit également ses noces, au monastère de Paserea.

Farâma prit sa tête à deux mains et resta un peu de temps immobile.

— Autant que je m'en souvienne, murmura-t-il, je n'ai raconté à M. Economu que l'adolescence d'Oana et sa rencontre avec le docteur. C'était l'époque où avec quelques-uns de ses amis elle accompagnait le docteur à travers les bourgades de la Monténie.

— Vous parlez, déclara brusquement

l'homme aux lunettes noires en ouvrant son dossier, des événements de 1916.

— Exactement. L'été 1916, avant que la Roumanie entre en guerre.

— Donc des affaires qui ne nous intéressent pas. Inutile de nous y arrêter. Mais revenons aux noces d'Oana. Pouvez-vous nous décrire la réaction de la camarade Vogel au moment où vous lui avez raconté ces noces ?

Farâma sourit.

— Tout ce que je peux vous dire, commença-t-il sur un ton plus léger, c'est que, pour mon malheur, je ne suis pas arrivé à raconter à la camarade ministre cette noce fabuleuse, en dépit du fait qu'elle m'en a demandé elle-même à plusieurs reprises le récit. Elle me l'a demandé, je peux le dire, avec une certaine insistance. Cela ne signifie pas que je me sois refusé à la lui raconter. Mais, comme je l'ai dit et répété maintes fois et pas seulement à la camarade ministre Vogel, on ne peut comprendre ce qu'a signifié cette noce pour Oana et pour tous ses amis si l'on ne connaît pas au préalable tout ce qui s'est passé, d'une part il y a de cela une centaine d'années et d'autre part, il y a un peu plus de deux cents ans.

— Soyez donc plus explicite, coupa l'homme aux lunettes noires qui ne cessait de feuilleter attentivement le dossier.

L'autre homme tendit à Farâma le paquet de cigarettes et lui sourit.

— Je faisais allusion à l'histoire de Selim, répondit-il après avoir allumé sa cigarette, et à l'histoire du boyard Calomfir.

— Vous avez écrit beaucoup de choses là-dessus mais on ne comprend pas le lien qu'il peut y avoir entre tout cela. Je résume : vers 1835, Selim le fils du pacha de Silistrie, sauve la vie à un garçon de quatorze ou quinze ans. Les jeunes gens se lient d'amitié et deviennent comme des frères. Selim se marie tout jeune avec une Turque et une Grecque turcisée. Mais il découvre bientôt que son ami le trompe avec l'une et l'autre de ses deux épouses et il le maudit. Le jeune homme change de nom, prend celui de Tunsu, s'enfuit en Transylvanie et, de là, en Monténie. Cela se passait en 1848. Tunsu aimait les femmes et se montrait un grand coureur mais il avait peur du mariage. Il a vécu de la sorte jusqu'en 1870, date à laquelle — il avait alors cinquante ans — il épouse une veuve qui lui apporte trois enfants... Je ne vois aucun lien entre tout cela et les noces d'Oana, ajouta l'homme en arrêtant brusquement sa lecture.

— Et pourtant, le lien existe. Peut-être n'ai-je pas écrit avec assez de clarté. Mais voici quelle était la malédiction de Selim : puisque son ami le plus cher l'avait trahi, un ami auquel il avait sauvé la vie, eh bien cet ami-là serait puni dans sa descendance. De père en fils, dans sa famille, les hommes seraient abandonnés par leur femme et les filles de ces hommes s'uniraient à des animaux. Et tout s'est bien passé comme cela. Tunsu s'est marié à cinquante ans mais après qu'elle lui eut donné Fanica, leur seul enfant, sa femme est partie avec un valet. Depuis, Tunsu a vécu seul, dans une forêt près du monastère de Paserea. Son fils, Fanica Tunsu, devint cabaretier place du Marché-aux-Bestiaux, il se maria et eut pour fille Oana mais sa femme l'a plaqué elle aussi. Les gens disent qu'elle a pris le large quand elle a vu de quelle manière effroyable sa fille grandissait. Elle avait d'ailleurs appris, de son mari lui-même, la malédiction lancée par Selim. Quant à Oana, la pauvre, bien qu'elle fût sage et ignorante du mal, elle a subi elle aussi la malédiction. Vous savez sans doute vous-même cette histoire-là...

— Nous la savons et, justement, c'est en liaison avec cette histoire-là que nous souhaiterions vous entendre relater les réactions de la camarade Vogel. Qu'a-t-elle dit ? Quels commentaires a-t-elle faits ? Vous en souvenez-vous ?

— Elle s'est écriée à plusieurs reprises : " Une femme terrible ! "

Les deux hommes se regardèrent à nouveau.

156

Sur leur visage inexpressif, on discernait un peu de fatigue.

— Passons maintenant à un autre point, toujours en relation avec les noces d'Oana. Vous avez dit que l'autre histoire, celle de Calomfir, qui commence vers 1700, est tout aussi importante. Mais cela ne ressort pas de tout ce que vous avez écrit et de tout ce que vous avez raconté de vive voix.

Il ouvrit de nouveau le dossier, en tira une page dactylographiée, la parcourut à la hâte, et reprit en parlant très distinctement :

— J'ai eu du mal à résumer les aventures de Calomfir parce que vous sautez sans cesse d'Arghira et de Zamfira, la jeune fille qui lui a rendu la vue, au début du XVIIIe siècle, à la femme sculpteur qui voulait qu'on l'appelât Zamfira bien que son nom véritable fût Marina et qui, si elle vivait encore, aurait aujourd'hui, selon vos dires, tantôt soixante ans, tantôt dix ou quinze années de moins, tantôt beaucoup plus. C'est qu'en effet, ajouta-t-il en levant les yeux de la page dactylographiée et en regardant Farâma avec une ironie très appuyée, si les dates que vous donnez quand il s'agit de vos autres personnages, soit contemporains, soit dans les siècles passés, sont en majorité exactes, l'âge de Marina varie dans vos déclarations d'une façon vraiment spectaculaire.

— C'est vrai, dit Farâma, soudain pensif.

Cette femme-là, Marina, est restée pour moi, jusqu'à aujourd'hui, un mystère.

— Nous allons venir tout de suite à ce mystère et peut-être réussirons-nous à l'élucider. Comme je vous le disais, il est difficile de résumer ce cycle des Calomfir parce que vous sautez sans cesse d'un siècle à l'autre. Vous passez de Calomfir et d'Arghira à Dragomir et à sa cousine Marina, sans mentionner, sinon en passant, le personnage de Mântuleasa.

D'un geste machinal, Farâma se mit à se frotter nerveusement les genoux.

— Tout ce que vous avez dit et répété maintes fois, c'est que la belle Arghira a marié Zamfira avec un homme du palais princier, Mântuleasa, et qu'elle leur a donné les terrains à travers lesquels on a fait passer plus tard la rue du même nom. Est-il possible que vous mentionniez si peu de choses au sujet justement de cette famille-là qui est tout de même beaucoup plus proche de vous que la famille du boyard Calomfir ou celle de Dragomir Calomfirescu ?

— Je n'ai jamais su grand-chose sur la famille Mântuleasa, dit Farâma sur un ton d'excuse, en baissant les yeux. Voyez-vous, pour moi, seule l'école comptait et tout ce qu'il y avait autour de l'école, les maisons, les jardinets, les jardins d'été...

Les deux hommes se regardèrent en silence. Le personnage aux dents espacées et toutes jaunes sourit tristement, haussa les épaules et tendit encore une fois le paquet de cigarettes à Farâma par-dessus le bureau.

— Laissons cela, du moins pour le moment, reprit l'autre en parcourant d'un regard distrait la page dactylographiée. Revenons aux noces d'Oana... Mais auparavant je voudrais vous demander encore quelque chose, toujours en rapport avec ce Mântuleasa. La dernière fois que vous avez vu la camarade Vogel, vous a-t-elle parlé de lui ? Ou bien, peut-être, de la rue Mântuleasa ? ajouta-t-il après un bref silence.

Farâma sourit, l'air rêveur.

— Non seulement elle m'en a parlé, dit-il avec une sorte d'orgueil qu'il ne semblait maîtriser qu'avec difficulté, mais encore elle m'avait préparé une surprise, celle-ci : nous nous serions promenés tous les deux en limousine, après trois heures du matin, rue Mântuleasa, pour qu'elle en découvre à son tour les charmes... Evidemment je lui ai dit qu'à cette époque-ci, au seuil de l'hiver, il n'y avait pas grand-chose à voir. Je l'ai invitée à venir la contempler quand les pruniers sont en fleur ou quand les griottes sont mûres et que les abricots deviennent tout dorés.

Les deux hommes se regardaient avec attention et comme inquiets.

— Pourtant vous ne vous êtes pas promenés, reprit au bout d'un moment le personnage aux lunettes noires. Pourquoi ? Quelle explication vous a-t-elle donnée ?

— Elle m'a dit que cette nuit-là nous ne pouvions pas nous promener rue Mântuleasa ou du moins que nous ne pouvions pas, nous deux, nous y promener.

— Evidemment, elle vous a dit cela après avoir reçu l'appel téléphonique. Et elle n'a rien ajouté d'autre ?

— Non. Rien d'autre.

— Bon ! Revenons maintenant aux noces d'Oana. Il y a deux choses qui nous intéressent particulièrement : le rêve que la jeune fille a raconté et le comportement curieux de Marina. Vos trois relations successives, à quelques mois seulement d'intervalle, présentent des variations appréciables. Commençons par le rêve d'Oana. Vous avez déclaré à l'instant que ce rêve, fit-il sur un autre ton en levant les yeux de la page dactylographiée et en regardant Farâma d'un air entendu, vous avez déclaré que vous ne l'avez raconté ni à Vasile Economu ni à la camarade Vogel. Avant de l'analyser, reprit-il, j'aimerais que vous nous le racontiez à nouveau, le plus exactement possible et avec tous les détails dont vous

160

vous souvenez. Pour nous, ce qui compte avant tout, ce sont les détails.

Farâma poussa un soupir et mit ses deux mains sur ses genoux.

— Rien que le rêve ? demanda-t-il d'une voix basse. Pas ce qui a précédé ?

— Rien que le rêve. Ce qui a précédé offre moins d'intérêt.

Farâma resta quelques instants, le regard perdu dans le vide, comme s'il cherchait à rassembler ses souvenirs.

— Voici ce qui s'est passé, commença-t-il tout d'un coup. Cette nuit-là, c'est-à-dire le samedi avant les noces, Oana a fait un rêve qu'elle nous a raconté pendant le repas, le dimanche soir. Nous étions tous assis autour de la table. Elle avait à sa droite son mari, le professeur estonien, à sa gauche son père. Or, la voilà tout à coup qui s'adresse à Lixandru et lui crie : " Ecoute, Lixandru, écoute bien et dévoile-moi le sens de mon rêve. Je nageais dans le Danube, à contre-courant, et au bout de je ne sais combien de temps je parvins à la source, à la source du Danube. Là je me rends compte brusquement que je pénètre sous la terre et que j'entre dans une grotte immense, illimitée, étincelante, aux parois de pierres précieuses, éclairée par des milliers de cierges... Il y avait un prêtre près de moi et il m'a dit tout bas : ' C'est Pâques. Voilà pourquoi on

161

a allumé tous ces cierges ! ' Au même instant j'ai entendu une voix qui venait de je ne sais où et qui disait : ' En ce lieu, il n'y a point de Pâques ! Dans ce monde-ci nous sommes encore à l'époque de l'Ancien Testament ! ' J'ai senti alors une grande joie à voir tous ces cierges, toutes ces lumières et toutes ces pierres précieuses. Je me disais : ' Voilà que j'ai été trouvée digne de comprendre combien l'Ancien Testament est sacré et combien le bon Dieu a aimé les hommes qui ont vécu à l'époque de l'Ancien Testament ! ' Et à ce moment, je me suis réveillée... " Voilà le rêve que nous a raconté Oana.

Farâma se tut.

— Continuez, dit l'autre personnage, tout ce qui vient ensuite est important aussi.

— Ce qui vient ensuite, répéta Farâma tout pensif. Il s'est passé beaucoup de choses, cette nuit-là !

— Nous désirons vivement savoir, dans les plus petits détails, quelles ont été les réactions de Lixandru, de Darvari et de Marina.

— C'est ce que j'avais l'intention de vous dire, reprit Farâma. Je me trouvais près de Lixandru et j'ai été frappé par sa pâleur, puis par son agitation. Il s'est levé de table, d'un bond, il s'est précipité sur Oana et lui a saisi les mains : " Les signes te sont apparus ! Ils se sont manifestés à toi dans ton rêve ! La

162

voilà la grotte, au fond de l'eau, la grotte que j'ai vue moi aussi, il y a longtemps, et où habite aujourd'hui encore Iozi ! Si tu ne t'étais pas réveillée, tu l'aurais rencontré ! Il t'aurait peut-être dit quelque chose pour nous, pour que nous trouvions une seconde fois le passage... " Ensuite, comme il s'était rendu compte qu'il n'aurait pas dû nous dire tout cela, un soir de noces, avec tant de monde autour de lui, il a perdu contenance, nous a demandé pardon et il a regagné sa place près de moi, en silence. Mais Marina ne l'a pas tenu quitte. Elle l'avait écouté, ensorcelée, et elle lui a demandé, d'une voix forte, de l'autre bout de la table, qu'il explique les signes. Puis le voyant silencieux, un sourire de bonheur sur les lèvres, elle est venue près de lui, l'a serré dans ses bras, le tenant par la taille et ne l'a plus lâché de tout la nuit. Elle voyait pourtant que Darvari était au bord du désespoir. Beaucoup ont cru cette nuit-là que c'en était fini de l'amitié entre Lixandru et Darvari. Mais ce n'était pas vrai.

— Vous nous expliquerez plus tard pourquoi ce n'était pas vrai, bien que vos propres déclarations tendent à prouver le contraire, fit l'homme aux lunettes noires. Pour le moment j'aimerais souligner une chose : des trois versions que nous possédons dans le dossier, comme aussi des propos que vous venez de

163

tenir, se dégagent des éléments essentiels que voici : premièrement, la grotte puissamment éclairée, deuxièmement l'allusion à l'Ancien Testament, troisièmement le fait que le rêve a été raconté à l'intérieur du monastère de Pase-rea. Or, sachant ce que nous savons et tenant compte de tout ce qui s'est passé, nous jugeons absolument impossible que le rêve n'ait pas été porté à la connaissance d'Economu. Il l'a raconté immédiatement à la camarade Vogel en lui suggérant de vous convoquer afin que vous lui racontiez ce rêve, à elle aussi, à l'occasion de quoi elle aurait pu apprendre d'autres détails encore.

— Et pourtant, je ne le lui ai pas raconté, murmura Farâma.

— C'est à vérifier. En tout cas, le contenu du rêve était accessible à Economu au moyen du texte dactylographié de vos déclarations, texte que nous avons, d'ailleurs, trouvé dans son bureau.

— Je ne comprends pas le lien qu'il peut y avoir... dit Farâma en les regardant l'un après l'autre.

— Hé ! Justement ! Cela semble difficile à croire ! s'écria brusquement l'homme aux dents jaunes après avoir offert une cigarette à Farâma. Et même c'est très difficile à croire ! Autrement, il faudrait une série de coïncidences tellement extraordinaires qu'elles égaleraient en mystère la disparition de Iozi et les autres miracles dont vous parlez dans vos histoires...

— Je ne comprends pas très bien à quoi vous faites allusion...

— Si vous dites la vérité, cela signifie que vous êtes encore très fatigué. C'est pourtant clair comme le jour. Il faut absolument que le ministre Economu et la camarade Vogel aient eu connaissance tous les deux de ce rêve si l'on veut expliquer pourquoi Economu, qui était une des rares personnes à savoir que dans la forêt de Paserea avait été enterrée, à l'automne de 1939, une partie du trésor national polonais et qui, surtout, était le seul à savoir aussi que là-bas se trouvaient, encore cachées, de grandes quantités d'or et de bijoux, si l'on veut expliquer, dis-je, pourquoi ce même Economu a décidé de transporter secrètement, une nuit, ce trésor dans la cave de sa maison, rue Calomfirescu, maison qu'il avait réquisitionnée le printemps dernier. Cette chose, il est impossible, soit dit entre parenthèses, que vous ne l'ayez pas apprise en son temps puisque, comme vous l'avez répété maintes fois et comme de nombreux témoins l'ont confirmé au cours de notre enquête parallèle, vous aviez l'habitude de vous promener, tous les jours, dans le quartier de la rue Mântuleasa et que, toutes les fois qu'un déménagement avait lieu, vous essayiez par différents moyens de savoir qui déménageait.

Farâma écoutait, effrayé, les mains abandonnées sur ses genoux, sans pouvoir détacher ses regards du sourire fatigué, mélancolique, du personnage.

— On ne peut pas expliquer d'une autre façon pourquoi, il y a quelques semaines, sous prétexte que de l'eau commençait à jaillir au fond de la cave, prétexte qu'il a emprunté à vos histoires, Economu a fait venir des ouvriers à sa dévotion et leur a demandé de creuser au fond de la cave une cachette où il comptait déposer l'or et les bijoux rapportés de Paserea. Nous ne savons pas de manière précise quelles étaient ses intentions mais il est probable que, profitant de la situation qu'il occupait, il aurait expédié à l'étranger les restes du trésor polonais. Peut-être espérait-il intéresser à son plan la camarade Vogel. Voilà pourquoi il lui a suggéré de vous convoquer pour que vous lui parliez d'Oana et surtout pour que vous lui racontiez le rêve de la jeune femme, sans omettre l'allusion très importante à la « béatitude de l'Ancien Testament ». Je ne sais pas dans quelle mesure la camarade Vogel s'est laissé séduire par ce plan mais il est tout de même surprenant qu'elle ait décidé d'aller se promener avec vous après trois heures du matin, juste la nuit où le trésor du monastère de Paserea devait être transporté dans la rue Calomfirescu, à deux pas de la rue Mântuleasa. Et il n'est pas moins surprenant qu'ayant appris par hasard qu'il était découvert, Economu se soit suicidé dans son bureau à une heure vingt-cinq et que quelques minutes après la camarade Vogel ait été appelée au téléphone, de l'extérieur, j'insiste, de l'extérieur, qu'elle ait appris qu'une partie du quartier Mântuleasa avait été isolée et fouillée par les services spéciaux, qu'elle ait ainsi renoncé à la promenade projetée, et que juste à ce moment-là elle ait mis en doute la véracité de vos récits. Vous aurez du mal à nous convaincre que tous ces faits n'ont aucun lien entre eux. Au contraire, je crois que la fatigue vous a empêché, jusqu'à présent, de vous rappeler exactement, dans tous leurs détails, les conversations que vous avez eues avec Economu et avec la camarade Vogel. Votre situation deviendrait sensiblement meilleure si vous nous confirmiez par une déclaration limpide et ferme les connivences que vous avez décelées entre Economu et la camarade Vogel — connivences que vous avez certainement décelées tandis que chacun d'eux écoutait votre récit des noces d'Oana.

Farâma le regardait toujours droit dans les yeux, l'air à la fois effrayé et suppliant, comme s'il le conjurait de poursuivre.

— Et tout cela, murmura-t-il au bout d'un moment, tout cela s'est passé tantôt, il y a quelques heures à peine...

— Non, coupa l'homme aux verres fumés. Vous avez été et vous êtes encore très fatigué. C'est pourquoi votre mémoire est défaillante. Tout cela s'est passé il y a trois jours. Comme on vous a amené ici dans un état de grande faiblesse, le docteur vous a fait une piqûre et depuis vous avez dormi sans arrêt.

— Mais n'ayez aucune crainte, ajouta l'autre, en souriant. Pendant ce temps-là on vous a alimenté artificiellement. Si ce régime avait duré une semaine encore vous auriez gagné au moins deux kilos.

X

— ... vous voyez, les choses se clarifient, entendit Farâma soudainement, elles s'éclairent les unes par les autres, elles constituent ensemble une configuration, et leur sens se dévoile mais seulement à la condition que nous partions d'une hypothèse, celle-ci : d'un côté vous voulez cacher quelque chose, garder un secret, et puis de l'autre votre mémoire, comme font toutes les mémoires, vous trahit. C'est-à-dire qu'elle ne retient pas les éléments essentiels mais garde avec une précision presque photographique les épisodes marginaux. Il nous suffisait donc d'examiner avec la rigueur nécessaire ces épisodes périphériques pour trouver le chiffre secret au moyen duquel on pouvait identifier les actions, les personnages, les idées que vous vouliez tenir cachés. Cet examen rigoureux a été fait et je vais vous citer une des conclusions auxquelles il a abouti.

« Pour des motifs qui demandent encore à être éclaircis vous avez bien pris garde de ne pas révéler les relations réelles qu'entretenaient Darvari, Lixandru et Marina. Si nous les connaissions nous pourrions comprendre la raison qui a poussé Darvari à s'enfuir en Russie. Je vais revenir tout de suite sur cet ensemble que j'appellerai le « complexe numéro un ». La deuxième conclusion à laquelle nous sommes arrivés est celle-ci : pour des motifs qui demandent eux aussi à être précisés, vous n'avez pas voulu nous révéler le fait que Lixandru, peu de temps après la fuite de Darvari en Russie, vers 1931, a décidé lui aussi de disparaître, mais à sa manière, ni comme Iozi, ni comme Darvari. Il a préféré changer d'identité, c'est-à-dire de nom, de métier et, probablement, d'apparence physique. Et en effet, après 1932, Lixandru ne fait plus aucune apparition dans les endroits où on l'avait connu sous ce nom, savoir à la Caisse des Dépôts, à la Bibliothèque de l'Académie Roumaine, à l'Association des joueurs d'échecs — et je ne parle pas des restaurants ni des guinguettes à jardins d'été qu'il avait l'habitude de fréquenter et où personne ne se souvient de l'avoir aperçu après 1932. D'autre part nous avons des preuves que Lixandru n'est pas mort et n'a pas quitté le pays de façon définitive. Il n'est pas exclu qu'il soit parti pour l'étranger en 1932 et qu'il soit revenu plus tard sous un faux nom. Le fait est que nulle part sur le territoire national ni dans les registres des consulats roumains à l'étranger ne figure la mention relative au décès d'un individu nommé Gheorghe P. Lixandru. Bien mieux, il ressort de vos propres déclarations que vous l'avez rencontré par hasard, après 1932, mais vous ne dites pas l'apparence qu'il avait prise, ni ce dont vous avez parlé ni non plus combien de temps vous êtes restés ensemble. Quelques minutes, quelques heures ou une journée entière ? Qu'ensuite vous ne l'ayez plus revu pendant longtemps, voilà qui est prouvé par la tentative désespérée que vous avez faite l'été dernier. Vous êtes allé demander à Borza, que vous preniez pour un de vos anciens élèves, s'il avait des nouvelles de Lixandru. Mais, évidemment, cela pouvait être une feinte. Autrement dit vous teniez à vous rendre compte si d'autres personnes avaient des renseignements sur Lixandru, *comme vous en aviez vous-même.* Je le répète, ce n'est qu'une hypothèse... Vous ne paraissez guère convaincu de l'exactitude avec laquelle se trouve reconstitué le complexe numéro deux ! ajouta-t-il après un court silence, un sourire sur les lèvres.

— Je ne me rends pas compte, murmura Farâma. Je vous prie de me croire. Il me semble que tout cela n'est qu'un rêve. Je me rappelle fort bien, je comprends tout, et puis j'ai l'impression de tomber dans le vide et je ne comprends plus rien.

— Vous avez été très fatigué, reprit l'autre, mais les soins spéciaux qu'on vous donne vont bientôt faire leur effet. Commençons par le complexe numéro un dont la clef nous est donnée par l'analyse des variantes qu'offrent les noces d'Oana. Je n'insiste pas sur celles qui sont en rapport avec la prodigieuse performance, réalisée par le docteur au lever du jour. Je n'insiste pas non plus sur les variantes liées à la première rencontre entre le docteur et le garde forestier, vingt ans auparavant, épisode aussi fabuleux que les mésaventures du boyard Calomfir, la disparition de Iozi ou autres péripéties du même genre. Je n'insiste pas sur elles parce qu'elles sont minimes et, à nos yeux, dénuées d'importance. Mais venons-en aux relations qu'entretenaient Darvari, Lixandru et Marina. Vous avez dit que l'amitié entre Lixandru et Darvari ne s'est pas brisée cette nuit-là, bien que beaucoup de gens eussent pensé le contraire. Et pourtant, je le constate en reprenant le dossier, vous dites, dans une déclaration précédente, que Marina, cette même nuit, aurait crié à Darvari — je cite : " Ne te fais pas aviateur ! Tu ne reviendras pas ! " Mais Darvari les a regardés tous les deux et a répondu : " Je n'ai pas peur de la mort ! — Je ne te parle pas de mort, a ajouté Marina. Je te dis que tu ne reviendras plus. " Et alors les deux jeunes gens ont éclaté de rire. " Comme la flèche de Lixandru ! " s'est écrié Darvari en regardant son ami. Lixandru, alors, est redevenu sérieux et il a essayé de changer de conversation. " Aujourd'hui, c'est la noce d'Oana, a-t-il déclaré, aujourd'hui tout ce qui était fixé par le destin s'est accompli et ce serait un péché que de tenter Dieu par d'autres mystères et d'autres prémonitions ! " Mais Darvari ne s'est pas laissé convaincre aussi facilement. " Peut-être Marina sait-elle quelque chose, peut-être qu'elle aussi, à sa manière, connaît les signes. Pourquoi ne la laisses-tu pas nous dire ce que signifie l'annonce que je ne reviendrai plus ? "

« Vous voyez qu'il existe une discordance entre ce que vous avez relaté il y a quelques jours et ce que vous avez écrit le 20 août : d'un côté Lixandru, Darvari et Marina ont parlé assez longuement ensemble et ont parlé de choses importantes. De l'autre, il ressort du texte écrit le 20 août qu'une tension croissante a opposé les deux amis. On dirait, même, que Darvari cherche à contredire Lixandru, quelque propos que tienne ce dernier, et qu'il fasse

173

exactement le contraire de ce qu'aurait désiré Lixandru.

— Tout ce que vous venez de rappeler, commença Farâma au prix d'un effort, s'est passé *avant* qu'Oana ait raconté son rêve. Il est vrai que plus tard, voyant Marina ne plus se séparer de Lixandru, Darvari se montra maussade et hargneux. Mais je vous l'assure, ils sont restés aussi bons amis qu'auparavant.

— Evidemment, *en apparence*, ils sont restés bons amis. Mais ce qu'il y a de sûr c'est qu'en profondeur quelque chose a changé. Marina s'en est rendu compte, sinon on ne peut pas expliquer pourquoi, après être restée tout le temps serrée contre Lixandru, au lever du jour, quand ils se sont tous réveillés de l'ensorcellement opéré par le docteur — je cite : " elle a saisi Darvari entre ses bras et lui a crié devant tout le monde : ' Si tu m'aimes aussi fort que tu le dis, m'attendras-tu pendant dix ans ? — Je t'attendrai autant que tu voudras, lui a répondu Darvari, je ne t'attendrai pas dix, mais vingt, mais cinquante ans !... — Alors invite tout le monde à notre noce, dans dix ans, en septembre 1930, ici même, au monastère ! Lixandru et Oana nous serviront de parrain et de marraine ! — Pas Lixandru, coupa Darvari, mais le docteur et Oana ! ' " Dans votre déclaration du 20 août, que je viens de citer, vous ne dites pas quelle a été la réaction de Lixandru. Sans aucun doute il a été peiné puisque Marina, en s'adressant à Darvari, a vite ajouté : " Mais il faut que tu saches que je suis bien trop vieille pour toi. Tu crois que je n'ai que cinq ou six ans de plus que toi et j'en ai vingt ! J'approche de la quarantaine !... " Tout le monde a éclaté de rire en pensant que c'était une plaisanterie mais Darvari a crié : " Même si tu avais cinquante ans je t'attendrais ! Dans ce cas tu auras en 1930 soixante ans mais cela ne fait rien. Je sais que je t'aimerai même par-delà la vieillesse ! "

— C'est vrai, c'est ce qu'il a dit, murmura soudain Farâma comme s'il se réveillait d'un songe.

— Mais il est évident que ces noces, qui devaient avoir lieu dix ans plus tard, n'étaient qu'une plaisanterie. Marina elle-même n'y croyait pas. Elle ne pouvait pas y croire. D'un côté elle avait expressément demandé à Darvari de ne pas se faire aviateur " parce qu'il ne reviendrait plus " et d'un autre côté il y avait là, présent au dîner, son cousin Dragomir. Or tout le monde savait qu'ils étaient fiancés depuis leur enfance et que leurs parents en avaient décidé ainsi " pour que la famille ne s'éteigne pas ". Une seule conclusion s'impose : Marina a fait tout cela pour apaiser

Darvari, parce qu'elle avait bien perçu la brouille entre Darvari et Lixandru.

— Et cependant, commença Farâma, je me rappelle une remarque de la camarade ministre Vogel...

— La camarade Vogel n'est plus ministre. Elle a reçu d'autres fonctions.

Farâma se tut.

— Revenons donc au complexe numéro un. Bien que ce fût une plaisanterie, Darvari a pris pour argent comptant la promesse de Marina. Mais à partir d'ici les choses ne sont plus claires du tout. Et nous nous demandons pourquoi. Déficience de mémoire ? Manque d'intérêt pour tout ce qui s'est passé entre 1920 et la disparition de Darvari, dix ans plus tard, au cours de l'été de 1930 ? Ou bien, purement et simplement, avez-vous décidé de *cacher* à tout prix certains événements qui, si nous les connaissions, nous permettraient non seulement d'élucider les motifs de la fuite de Darvari, mais aussi de comprendre ce que signifie la métamorphose de Lixandru. Personnellement, je penche pour la seconde hypothèse et je vais essayer de vous démontrer pourquoi. Au fond, qu'avez-vous dit au cours de tant d'interrogatoires, qu'avez-vous écrit, sur tant de centaines de pages, au sujet des relations entre Darvari, Lixandru et Marina, entre 1920 et 1930 ? Fort peu de choses et toujours les mêmes, que vous avez reprises et répétées d'innombrables fois. Je vais les résumer. Vous nous racontez que Marina, très souvent, a dit à Darvari qu'elle avait réellement vingt ou trente années de plus que lui. Je cite : " C'est pourquoi Dragomir n'ose pas m'épouser. Il connaît mon âge. "

« Une fois, vers 1925, 1926, elle lui a montré son acte de naissance — et vous précisez que cet acte de naissance lui avait été délivré à l'étranger ; il ressortait de ce document qu'elle avait près de soixante ans. Darvari l'a regardée alors, plein d'effroi, et vous ajoutez : " Il était bouleversé non pas d'avoir appris son âge mais d'avoir découvert soudain qu'elle était vraiment vieille. ' Si tu m'aimes encore, sachant que j'ai bientôt soixante ans, je te donne la permission de m'embrasser ! ' Darvari, écrivez-vous, blêmit et fixa, comme pétrifié ses regards sur elle. Marina s'écria alors, avec une grande exaltation dans la voix : ' Voyez donc comment est l'amour chez les hommes ! Lié seulement au corps ! L'esprit ne souffle, selon vous, que dans le voisinage immédiat de formes jeunes ! ' L'instant suivant elle sort du salon précipitamment et revient après quelques instants de la pièce voisine aussi jeune d'aspect qu'elle était la nuit où Darvari l'avait aperçue pour la première fois, dans la taverne de Fanica Tunsu, en 1919.

Darvari tombe à ses genoux mais elle ne lui permet pas de l'embrasser. ' Je vais tout de même te pardonner, cette fois encore, lui dit-elle en souriant. Naïf comme sont tous les hommes, tu crois sans doute que je me suis maquillée en vieille femme et qu'après t'avoir fait peur j'ai eu pitié de toi et je suis allée me laver la figure. Mais je te répète que je suis véritablement une vieille femme comme je peux te le prouver par mon acte de naissance... ' Darvari l'écoutait, plein de bonheur parce qu'il avait, *à ce moment-là*, en face de lui une femme de vingt à vingt-cinq ans. "

« Vos déclarations ne font pas clairement apparaître ce qui s'est passé. Vous dites simplement que Marina aimait le théâtre, pareille en cela à son aïeule Arghira. Vous dites qu'elle aimait s'habiller de façon bizarre, excentrique. Prafois, elle avait réellement l'air d'une vieille femme parce qu'elle poudrait ses cheveux ou se fardait comme font les femmes âgées quand elles veulent paraître jeunes. Vous croyez donc qu'au moment où elle a montré à Darvari son acte de naissance elle venait de se grimer afin de paraître soixante ans ?

— C'est ce que j'ai cru longtemps, répondit Farâma d'une voix très basse. Mais je me trompais.

— C'est probable. De votre propre relation il ressort que ce jour-là Darvari ne s'est pas aperçu, *au début*, qu'elle était vieille. Il ne s'en est rendu compte qu'*après* avoir lu son acte de naissance. Il s'agissait donc d'autre chose, d'une technique spéciale que Marina possédait pour changer d'apparence à volonté.

« Et maintenant nous arrivons au dernier épisode, le dernier mais le plus important, épisode que malheureusement vous racontez toujours de manière très succincte. Il est question de cette nuit, au cours de l'été 1930, où, pour des motifs incompréhensibles, Marina retient Darvari chez elle et où ils couchent pour la première fois ensemble. Je dis pour des motifs incompréhensibles parce que nous pourrions nous demander pourquoi elle n'y avait pas consenti auparavant, pourquoi elle a attendu dix ans avant de se donner à Darvari et pourquoi elle l'a fait juste quelques semaines avant son mariage. En tout cas il apparaît à la lecture de vos relations successives que ce soir-là les deux jeunes gens se sont attardés, tout seuls, dans un jardin public, près de Cotroceni, et que Darvari s'est montré plus amoureux que jamais. Il est vrai que Marina portait une robe extraordinaire, mais d'une élégance discrète, et qu'elle paraissait plus jeune qu'à l'époque où Darvari avait fait sa connaissance, onze années plus tôt. Elle avait un visage d'enfant, sans le moindre grain de poudre, sans la moindre trace de fard.

« Je viens de résumer votre texte du 20 août. On ne comprend plus très bien ce qui est arrivé ensuite. Les jeunes gens ont passé une nuit ensemble. Mais, au matin, Darvari s'est réveillé et s'est penché sur sa maîtresse pour l'embrasser. Et, dans la lumière incertaine de l'aube, écrivez-vous, il s'est aperçu que Marina était une vieille femme, bien plus vieille qu'elle n'avait semblé peu d'années auparavant, quand elle lui avait montré son acte de naissance. Vous écrivez qu'il est resté longtemps pétrifié de stupeur, qu'ensuite il s'est levé et, que, prenant soin de ne pas la réveiller, il s'est habillé tout doucement. Il avait presque fini quand il s'aperçut que Marina le regardait en souriant. ' Je ne sais ce que tu as l'intention de faire, lui aurait-elle dit. Mais ne le fais pas d'une manière banale, comme tous les autres hommes. Lance-toi dans la grande fuite, monte, monte, monte sans cesse ! ' Puis elle lui cria avec une incompréhensible exaltation dans la voix : ' Je vais te confier un talisman et tu rencontreras, à un moment donné, la flèche de Lixandru ! ' Mais on n'est pas certain que Darvari ait entendu ces derniers mots. Il était sorti en silence et il avait soigneusement refermé la porte derrière lui. ”

« Tout cela, selon vos dire, vous l'avez appris plus tard de Lixandru qui l'avait appris lui-même de Marina ce jour-là. Si j'ai bien compris, en effet, Marina s'est habillée elle aussi. Elle est partie tout de suite à la recherche de Lixandru mais ne l'a trouvé qu'assez tard dans l'après-midi. Après lui avoir tout raconté elle lui a dit : " Essaie de le rejoindre et de le retenir ! Je le soupçonne de vouloir s'enfuir en avion et il court un grand danger parce qu'il ne sait pas ce qu'il fait. — Est-il en danger parce que tu n'as pas eu le temps de lui donner le talisman ? " a demandé Lixandru. Il est difficile de savoir s'il parlait sérieusement ou s'il plaisantait. " Non, fit-elle. C'était une simple métaphore et qu'il n'a pas comprise. Je n'ai pas de talisman et tout ce que je lui ai dit sur la ' grande fuite ' devait à mes yeux le mettre à l'épreuve. Je voulais lui apprendre à ne plus se laisser ensorceler par les apparences. La nuit dernière je n'avais pas vingt ans comme il l'a cru et ce matin je n'avais pas dépassé la soixantaine comme il l'a cru aussi. J'ai l'âge que j'ai... " Vous ajoutez ici que Lixandru lui donnait, à la voir, entre vingt-cinq et trente ans, comme d'habitude. En tout cas, il est arrivé trop tard à l'aéroport. Il n'a réussi à parler au chef d'escadrille qu'après plusieurs heures d'attente. Entre-temps, Darvari avait atterri à Constantza pour faire à nouveau le plein d'essence et s'était envolé vers l'Orient...

« S'il en était ainsi, reprit l'homme après

un bref silence, ce serait plus beau qu'une légende et plus triste que la plus triste des histoires d'amour... Mais voyez-vous je lis que vous reconnaissez avoir appris toutes ces choses de Lixandru et de *lui seul.* Vous-même n'avez rencontré Marina que vers 1925. Dans une de vos relations vous dites que vous avez fait la connaissance de Darvari à ce moment-là et qu'il vous aurait livré certaines confidences sur — je cite : " la sorcellerie et la magie de Marina ". Il vous aurait affirmé qu'il était toujours amoureux d'elle et vous aurait rappelé que vous étiez invité à son mariage, en septembre 1930. Mais c'est là un ensemble de détails qui contredisent la version de Lixandru. D'abord il était impossible, même en 1930, qu'un pilote se rendît à un aéroport, montât en avion et décollât sans ordres ni instructions précises. Si Darvari a réussi, cela veut dire qu'il avait prémédité sa fuite et, surtout, qu'il avait des complices, à Bucarest et à Constantza. Or, s'il n'y a aucun doute sur la préméditation, l'enquête l'a formellement prouvé, on n'a jamais pu découvrir les complicités. *Pour nous,* c'est ce point-là qui revêt une particulière importance. On peut avancer plusieurs hypothèses. La première, la plus plausible, serait la suivante : Darvari met au point son départ dans les plus petits détails, avec des complicités que nous ne connaissons pas mais nous soupçonnons de quel côté nous devons les chercher. Il est impossible de savoir avec précision la mission qu'avait Darvari mais en tenant compte de la date de sa fuite, août 1930, nous discernons au moins *le sens* de cette mission. Bien que leur amitié ne fût plus aussi étroite qu'auparavant, Darvari révéla à Lixandru, à la dernière minute, la décision qu'il avait prise. Quel fut le rôle de Lixandru dans cette disparition, nous l'ignorons pour le moment. Et nous l'ignorerons tant que nous n'aurons pas élucidé le complexe numéro deux, c'est-à-dire tant que nous ne saurons pas la *nouvelle identité* que Lixandru a prise, depuis 1932. C'est seulement en sachant ce qu'il est devenu, lui, après cette date, que nous connaîtrons le rôle qu'il a joué dans la fuite et la disparition de Darvari. Et du même coup nous saurons aussi autre chose ; était-il *avec nous* ou *contre nous ?*

« Maintenant, je vais vous poser une question, une seule question. Il est probable que vous n'accepterez pas d'y répondre sur-le-champ mais la réponse que nous attendons de vous, nous finirons bien par l'obtenir. Vous connaissez depuis longtemps la nouvelle identité de Lixandru. Mais vous savez aussi autre chose. Vous savez que cette nouvelle identité cache tellement bien notre homme que personne, absolument personne, ne peut le reconnaître, personne de ceux qui n'ont pas été les témoins de l'une et l'autre de ses identités, je veux dire qui n'ont pas assisté à la métamorphose par laquelle le jeune homme qu'il était en 1931, 1932, s'est transformé en celui qu'il est devenu depuis cette date. Or, en fait, vous êtes le seul témoin de cette métamorphose. C'est pourquoi nous vous jugeons extrêmement précieux. En effet, si Lixandru est arrivé à se rendre totalement méconnaissable, il peut se faire qu'il soit *n'importe qui* dans ce pays, l'un d'entre nous, peut-être même un de nos camarades les plus en vue, un de ceux qui conduisent les destinées du peuple. Eh bien, ma question est la suivante : qui est Lixandru, maintenant, ici, dans cette ville, peut-être même dans ce bâtiment ? Vous le connaissez. Dites-le-nous. Qui est-ce ? »

XI

Cette année-là l'été fit son apparition étonnamment tôt. Quant Farâma sortait se promener, au début de l'après-midi, il se tenait toujours le long des clôtures, à l'ombre des arbres. Il jetait ses regards dans les vergers, s'arrêtait de temps en temps, rêveur, devant les abricotiers et les griottiers chargés de fruits, comme s'il s'attendait sans cesse à voir des enfants y grimper. Il reprenait bientôt ses esprits, hâtait le pas et se dirigeait vers un banc où il aimait se reposer. Si quelqu'un s'y trouvait déjà, il ôtait son chapeau de paille et demandait poliment la permission de s'asseoir à côté de lui. Au bout de quelques instants il demandait l'heure, remerciait avec toujours la même politesse mais ne se prêtait guère à la conversation. Si son voisin lui parlait, il l'écoutait un peu, en hochant doucement la tête, puis il se levait, saluait en ôtant son chapeau et s'en allait.

Au cours d'un après-midi torride, au début de juillet, il vit de loin son banc vide et se réjouit. Il se sentait fatigué. Il s'assit, non sans peine, prit son mouchoir et l'enroula autour de son cou, puis il se mit à s'éventer avec son chapeau. Bientôt, sentant venir l'assoupissement, il posa près de lui son chapeau, sur le banc, appuya sa tête sur sa main droite, le coude sur le genou et ferma les yeux. Mais quelques instants plus tard, il se réveilla en sursaut. Près de lui, sur le banc, s'était assis un homme dont il ne pouvait voir le visage parce que cet homme lui tournait le dos.

— Je vous prie de me pardonner, dit Farâma, j'ai dû m'assoupir. Il fait très chaud, ajouta-t-il en recommençant de s'éventer avec son chapeau.

L'inconnu tourna la tête et lui sourit puis reprit aussitôt la lecture de la revue qu'il tenait à la main. Quelques instants plus tard un gamin passa devant eux, les mains et la bouche toutes noires de jus de mûres, et Farâma le suivit des yeux en souriant.

— Excusez-moi, demanda-t-il au bout d'un moment, mais pouvez-vous me donner l'heure ?

— Il est deux heures, deux heures cinq, répondit l'autre sans se retourner.

— Je vous remercie beaucoup. J'ai un rendez-vous à deux heures et quart, deux heures et demie. Je peux rester encore un moment à me reposer sur ce banc. Il fait très chaud...

L'inconnu se tourna vers lui et lui sourit de nouveau en hochant la tête. Il reprit sa lecture mais, l'instant d'après, il s'interrompit brusquement et regarda Farâma l'air perplexe. Puis il ouvrit à nouveau sa revue.

— Vous avez beaucoup changé, monsieur le Directeur, depuis la dernière fois que je vous ai vu, murmura-t-il sans lever les yeux. Vous avez dû passer par beaucoup d'épreuves. C'est à peine si je vous ai reconnu !... — Farâma se taisait, continuant à s'éventer avec son chapeau. — Vous ne vous souvenez plus de moi... J'ai été votre élève à l'école Mântuleasa, il y a de cela longtemps, bien longtemps. Comment pourriez-vous vous rappeler ?... Je m'appelle Borza, Borza Ion Vasile...

— Borza ? Borza Ion Vasile ? répéta Farâma en reposant son chapeau sur ses genoux. Comme c'est curieux ! ajouta-t-il dans un soupir.

— Vous souvenez-vous du jour où je me suis blessé à la tête en tombant d'un abricotier ? Vous m'avez pris dans vos bras et m'avez porté dans votre bureau pour me faire un pansement... Le lendemain, c'était jour de fête. C'était le 10 Mai !...

— Oui, oui, dit Farâma, je crois me souvenir. Mais est-ce que c'est bien vrai ?... Je me le demande...

Il se leva non sans effort puis s'inclina à plusieurs reprises.

— Il est dommage que je doive partir. J'ai un rendez-vous à deux heures et quart, deux heures et demie. Il s'est mis à faire terriblement chaud. J'ai été très heureux de faire votre connaissance, ajouta-t-il.

L'inconnu posa sa revue près de lui, sur le banc, prit une cigarette et l'alluma, tout pensif. Dès que Farâma eut tourné au coin de la rue, quelqu'un sortit du jardin d'une maison voisine et se dirigea vers le banc.

— Tu as appris quelque chose ? demanda-t-il sans s'asseoir.

— Non. Il a fait semblant de ne pas me reconnaître et il n'a pas eu grand mal, ajouta-t-il en se levant et en glissant la revue dans la poche de son veston. J'ai répété les quelques phrases que j'avais apprises par cœur et il est probable que je n'ai pas réussi à lui donner le change. Peut-être a-t-il appris que Borza n'est plus vivant et du coup je lui suis devenu suspect. — Ils marchaient côte à côte. — Mais cela ne fait rien, reprit l'autre un peu plus tard, d'une voix très basse. Il faut que nous retrouvions sa confiance. Il était chez Anca la nuit où tout est arrivé. Et ensuite il a été interrogé par le numéro un et par le numéro trois. Il sait une quantité de choses. Et il est *seul* à les savoir. Il faut que nous essayions une fois encore... — Ils s'arrêtèrent au coin de la rue. — Essaie, toi, Lixandru, murmura l'autre.

Täsch, août 1955.
Chicago, novembre 1967.

DU MÊME AUTEUR

nrf

TECHNIQUES DU YOGA, 1948.

LE MYTHE DE L'ÉTERNEL RETOUR (Archétypes et répétition), 1969.

IMAGES ET SYMBOLES (Essais sur le symbolisme magico-religieux), 1952.

MYTHES, RÊVES ET MYSTÈRES, 1972.

NAISSANCES MYSTIQUES (Essai sur quelques types d'initiation), 1959.

MÉPHISTOPHÉLÈS ET L'ANDROGYNE, 1962.

ASPECTS DU MYTHE, 1963.

LE SACRÉ ET LE PROFANE, 1965.

LA NOSTALGIE DES ORIGINES, 1971.

FRAGMENTS D'UN JOURNAL, 1973.

Romans

LA NUIT BENGALI *(traduit par Alain Guillermou)*, 1950.

FORÊT INTERDITE *(traduit par Alain Guillermou)*, 1955.

Chez d'autres éditeurs

TRAITÉ D'HISTOIRE DES RELIGIONS (*Payot*, 1949).

LE CHAMANISME ET LES TECHNIQUES ARCHAÏQUES DE L'EXTASE (*Payot*, 1951).

LE YOGA, IMMORTALITÉ ET LIBERTÉ (*Payot*, 1954).

MINUIT A SERAMPORE (*Stock*, 1956).

FORGERONS ET ALCHIMISTES (*Flammarion*, 1956).

PATANJALI ET LE YOGA (*Editions du Seuil*, 1962).

FROM PRIMITIVES TO ZEN (*Harper*, New York, 1967).

DE ZALMOXIS A GENGIS-KHAN (*Payot*, 1970).

RELIGIONS AUSTRALIENNES (*Payot*, 1972).

L'impression de ce livre
a été réalisée sur les presses
des Imprimeries Aubin
à Poitiers/Ligugé

pour les Editions Gallimard

Achevé d'imprimer le 5 janvier 1977
N° d'édition, 21857. — N° d'impression, L 9495.
Dépôt légal, 1er trimestre 1977.

Imprimé en France

21857